エンドレス改善

Endless Improvement

TPSを中小企業で実践

加古 眞
Kako Makoto

幻冬舎 MC

エンドレス改善

～ＴＰＳを中小企業で実践～

まえがき

1997年2月、5年間の英国勤務の後帰任した部署はデンソーの冷暖房製造2部。ここで、カーヒータ、カーエアコン（HVAC）の製造を担当することになりました。入社以来、現場実習も含めてラジエータ生産技術一筋の自分にとって、新しいチャレンジです。

同時にスタートしたのが、「トヨタ自主研＝トヨタ生産方式自主研究会」で、着任時には既に「推進責任者」に決められていました。

実は、ラジエータ生産技術時代に3度、トヨタ自主研を受けていましたがいずれも「改善の実行部隊」であり、決定した改善案を大至急、実行する立場をやってきただけでした。新職場での推進責任者は、毎回の報告会で基本方針、改善推進状況を生産調査部長のHさんに報告して指導を受けることになります。

初回に、活動の目的・目標として「後補充生産をやる」と発表したら、すぐさまHさんから「本当かね？」と聞かれ、ドキッとしました。帰任前にたくさんのスタッフが事前準備してくれていてその路線に乗ったつもりでしたが、自分の腹に落ちていないことを言ってしまったことが見透かされたようで、「しまった」と思いました。

そこで、1か月後の次の報告会まで考え直し、悩み、次のように訂正版を作りました。
「仕事の単位を細かくして標準化、平準化し、異常と正常を明確に分けて問題点を見つけやすくすることにより迅速に改善できるクセ（体制）を自律した継続的な活動として定着する」

この時以来、基本的な姿勢で正されることはなくなりましたが、Hさんから「トヨタ生産方式（TPS）を本気でやるか？」と聞かれ、「やります。教えてください！」と言いました。Hさんは「本気でやるなら、エンドレスだぞ！」と言われました。

これが、本書のスタートです。
それまで脇役パートを演じるだけだった自分が、これ以降は主役で1200人を引っ張っていく役となってしまいました。
過去3回のトヨタ自主研は、いずれも時間が経つと対象製品の変化で「崩れて」いってしまいました。だから、今回はなんとしても自分の納得する形で身に付けたいと考えました。

1年後には「トヨタ自主研を崩さないための合宿研修」をやって、失敗体験をさらけ出し合いました。「定着」「我がものにする」ために、従来とは異なった活動をし、何とか「継続活動化」＝「エンドレス改善」に近付くことができ始めたと実感しました。

その後、冷暖房製造1部（エアコン用熱交換器、コンプレッサ製造）に移ってからも同様の取り組みを続け、再度英国で赴任したエアコン製造会社でも、欧州トヨタ仕入先グループの改善でも失敗を繰り返しながら「エンドレス改善」を目指しました。

2度目の帰国後に着任したのはGAC㈱でした。GACは、乗用車以外のエアコン、冷暖房機器を中心に製造しており、少量多種生産であることに加えて、季節商品（遠赤外線ヒータ、事業所用スポットクーラなど）を多く扱っており、「売れの平準化」はとても期待できません。この状況でトヨタ生産方式のツールである「小ロット生産、後工程引き取り・後補充生産、『かんばん』を使った生産指示と進捗管理等」はすんなりと使えず、その中でどうすれば「継続して生産コストを改善し、モノづくりの競争力を高められるか」を考え、もがきました。


デンソー退社後は、10年間まったく異業種の配管部品を製造・販売しているワシノ機器㈱で経営者として建て直しをやりました。従業員が90人程度の、関連会社のない独立した中小企業での再構築、競争力強化は、モノづくり以外の営業、人事、品質管理などで新たなチャレンジをする中で、失敗と挽回の連続でした。

工場におけるモノづくり改善も、ベースとなる事業環境が大きく異なっていました。

1個単位の受注生産と見込み生産がミックスしており、自動車部品業界とはまったく異なりました。

この中でモノづくりの競争力を強化するための工場現場のベース作り、人財育成、管理者育成などに従来以上に苦労しましたし、新しい発見もたくさんありました。

結局、重要なのは「エンドレス改善」の基本に戻ることでした。

仕入先との活動も「自社の押し売り、自社の成功体験の展開」では進められないのが当たり前で、「仕入先の立場でどうやって継続的なコスト改善をやってもらうか」が重要な課題でした。標準化された製品・部品を、平準化された注文に応じて生産する状況での「恵まれた改善」ではなく、どの会社でも、どんな工場でもモノづくりの競争力向上に向けた改善が必要であることを痛感しました。

そこで、中小企業で奮戦している仲間の皆さんに、私の失敗体験をベースにした挽回活動をまとめることで、ここから何らかの気づきを得ていただき、明日に向けた一歩の参考になれば、と考えたのです。

本書の主な構成は、以下の通りです。

- 改善を進める前に「動機」「基礎」「当たり前」を揺るぎないものにする。
- 「問題点を見つけて1つひとつ改善」のクセをつける、習慣にする。
- 問題点が見つけ難くなってきたら、「工夫」「仕組み」で見つけやすくする。
- 分相応の仕組みを使う。間違っても「方法が目的」にならないようにする。
- 管理者が振る舞い方を身に付ける。

いずれも「自らの失敗体験をどのように挽回したか」を主眼にして記載しています。読者の皆さんが自分自身の体験との比較によって何らかのヒントを掴み、自身の進化に結び付けていただくことを願っています。

トヨタ自動車の社員の方々と一緒に仕事をさせていただいたり、指導を受けたりしてきて思うのは、我々とは「1人ひとりの力の差」が大きいことです。すなわち、入社前には学校を中心とした似たような経験をしているにもかかわらず、「誰でもが当たり前に考え、行動する」といった企業体質、伝統が、トヨタ自動車と他の組織とは違いすぎるのです。これを備えない限り、トヨタ生産方式をトヨタ自動車で経験した人と同じようにすんなりと導入して自分のものにすることは至難の業です。

トヨタ自動車内部の方々には、「そんなこと当たり前、他社はそんなこともできていないの?」と言われそうですが、国内で外国人を抱えたり、海外で仕事への取り組み姿勢が異なる人々に力になってもらったりするためには、ここのギャップを意識して取り組むことが必要です。そこで本書では、部品メーカーの立場、弱い体質の中で1人ひとりの作業員に「腹に落としてもらう」ためにどのような言い方、振る舞い方をするのかをポイントにしました。

基本的には、「トヨタ生産方式（TPS）」を実践しているつもりですが、随所でレベルダウンしたり、派生したり、管理者の基本姿勢にタッチしたりと、TPSとは言いにくい内容となっています。そこで、製造、モノづくりの競争力アップのための継続的な改善=「エンドレス改善」と言い換えてみたわけです。

「エンドレスな改善」を目指した取り組みを紹介することが、それを牽引する工場管理者、会社経営者の方の、明日への活動のヒントになれば幸いです。

もくじ

第3章　基礎段階

第4章　応用段階

第5章 自己管理

第6章 管理者の役割

第7章　管理者の心構え

第1章

改善の前に

1　企業の目的は2つ。1つ目は「儲ける」こと

目的は、2つ。まずは、儲けること。

企業活動の目的は、一般的な、お客様、株主、社会と従業員とその家族に貢献すると言っているが、日々の活動の中での本音は、「儲ける」こと。良い品を、早く・安く造って、タイムリーに納める。その結果として、利益を生み出して税金を払い、従業員に給与・賞与を払う。こういうことを高校、大学を卒業して初めて社会に入ってくる人達に話し、伝えている。

その時に比較の事例として使うのが、「公務員と会社員の違い」。

例えば、市役所の市民課に行って住民票のコピーとか戸籍謄本を依頼に行く時に、市民課の方々の仕事っぷりを思い出していただくと、大抵は昨年、一昨年と同じような対応、スピードでキッチリとやっていただける。

申請書を提出して2、3分もすれば、期待した書類が準備され300円程度を支払って満足している。我々利用者の期待もそれ程格段のスピードアップとか、価格ダウンは要求、期待をしていない。

これらに対して私企業では、以前と同じような仕事の繰り返しも多いが、根本的には

昨年よりもより良い品物を、より安価で、より早く提供してお客様に喜んでいただき、満足してもらって次回からも同じように買っていただけるようなモノとサービスの提供を心がけている。合わせて、競合する他社と比較して質・量・コスト・タイミングが勝ることが必要となってくる。

これらのためには、日々少しずつでも改善をして競争力を上げていくことが使命であり、その結果として得られた利益分が従業員に給与・賞与として配られる。合わせて、会社としては、将来の企業継続・発展のために新製品・新技術開発や新商品準備、投資、営業活動や人財育成にも使われる。

とにかく、止まらずに継続して改善し続けることが大切で、「儲け」を大きくすることをしつこく話し、伝えている。

２　企業の目的の２つ目は、「人を育てる」こと

２つ目の目的は、「人を育てる」こと。

会社の活動の、全てが「主役は、人」である。確かに機械・設備が表面的には目立つ場合があるが、扱って操作しているのは人間。この主役の「人」に対して最も多くの時間とお金をつぎ込むのが自分の信条である。

「人」の活躍を左右するには、「やる気」「やりがい」「頑張り」「意志」「信念」「チームのベクトル」……とモノを扱うのとはまったく異なる要素がたくさんある。人を育てて、「人財、チーム」になってもらい機械・設備などのアウトプットとはまったく異なる活躍を願っている。また、この人財育成、活用の差が会社の実績に大きく効いてくる。

マネジメントの役割は、この人財パワーを如何に大きく、引き出すのかが重要と思う。

機械・設備は計画した動きを故障がない限りは、期待通りにやってくれる。しかし、期待以上のことはできない。

従来以上の成果を上げるためには、人間の関与、活躍が不可欠となる。いくらＡＩが活躍しても、データ収集の工夫、活用の仕方の工夫、得られた結果の吟味を次の決断に結び付けるのは「人」となる。

1人ひとりの「問題点を見つける力」「気づく力」「応用して考える力」「チーム、関係者で合意して活動を決める力」……というように人間の活躍舞台はいっぱいあり、その主役の「人」を育てることは、企業として大切であり、改善活動を継続したものとするためにも不可欠である。

3　「モノづくりの現場」での「儲け方」のポイントは「効率を上げる」こと

企業としての「儲け方」はいろいろあるが、この本では「モノづくりの現場」をベースに考えて書き続けたいと思う。

モノづくりの現場でのポイントは、「効率」を上げること。

即ち、効率（生産性）＝アウトプット／インプット、生み出すもの（生産量、額）／使うもの（人、時間、設備、費用）。分母をできるだけ小さくすること、分子を大きくすることと単純に考えてもらえば結構。

それぞれの要素を、変化させるためには過去、現在の状況を観察し、その中からありたい姿との比較で問題点を見つけて、その変更を狙うか、要因まで遡って変更して効率を上げ、儲けを大きくすることとなる。

この活動が、一過性でなくて日々、日常的に「クセ」のように続く状態を作り上げ、維持することが大切となる。

第2章

改善活動は、まずベース固めをすることが重要

1　全体のステップ

改善活動の全体ステップを示すと図1の通りとなる。継続した改善の体制、体質を構築するためには、まずベース固めをする必要がある。この章ではベース固めのポイントを紹介する。

図１　改善活動「全体のステップ」
順序を間違えない！

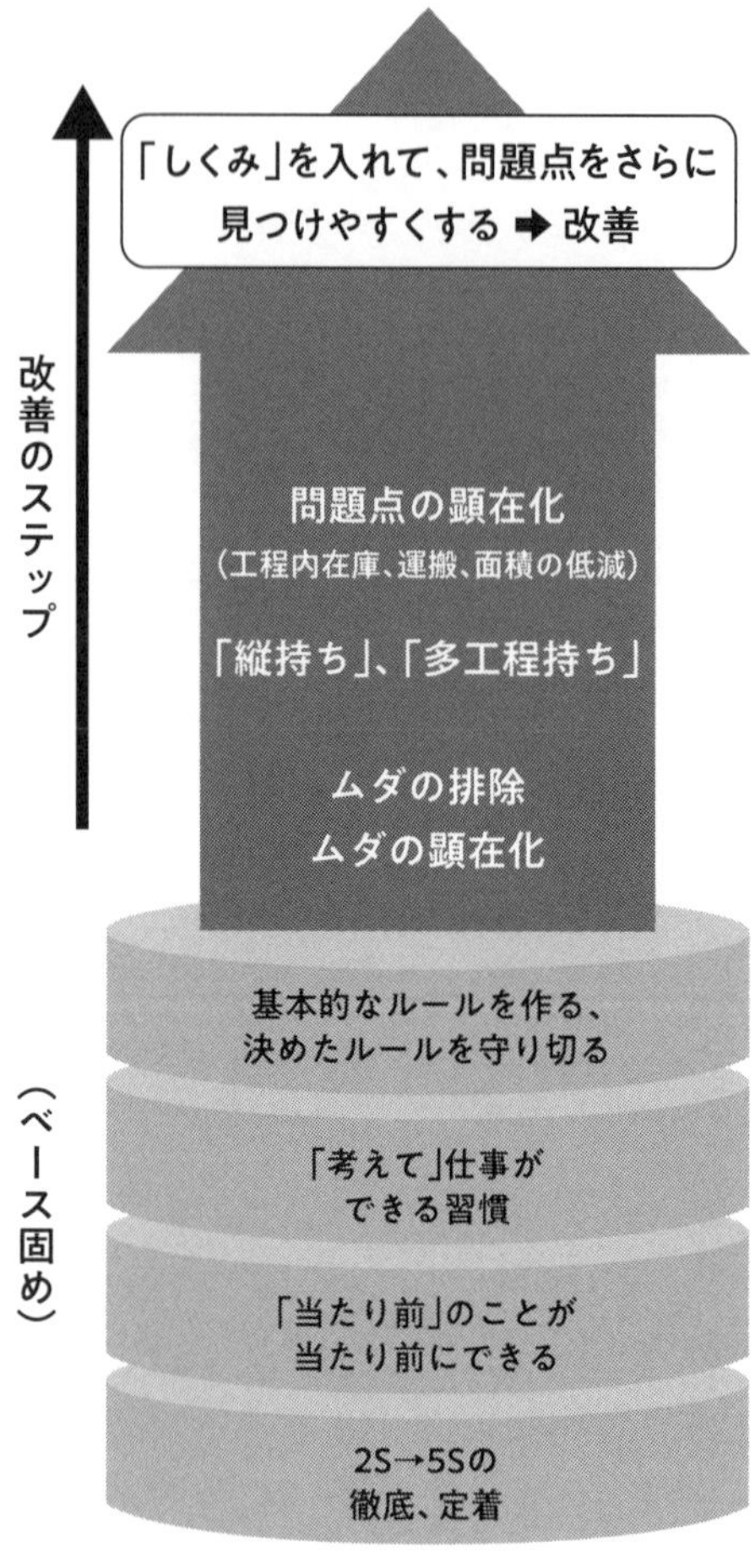

2 まずは、「整理・整頓」その後で4S、5S

製造会社を中心に、昔から代々教えられてきている「5S＝整理・整頓・清掃・清潔・躾」。

特に、トップや中間管理職から最前線の管理・監督者や作業員に向けて言われることが多い。「言う人」も「言われる人」も、誰もが否定しない、できないのが大切な基本＝「5S」。

いろんな会社や現場をやってきて、自分から言い出すことはなかったが、部下となる人達から「5Sが基本、5Sが大事」と言われて否定できない自分がいた。例として、毎朝の「5Sの唱和」「5Sの日」「5Sタイム」など。何だか、作業終了後や定期的な清掃活動をすることで、お茶を濁していたのを黙認していたという失敗があった。

したがって、暗黙のうちに「5S強調、徹底」の機運を間接的に認めていた。……と言って、自分から何かこだわって仕かけたり、行動していたわけではなかった。

自分としては、新しい会社、部署に移った時に、「この職場は、整理もできていない」とか「整頓レベルが低い」と直感するのだが、当面の安全、品質、量対応、コストに直接的に結び付かないことを、自分の腹の中で妥協して後送りにしていた。

これは、仕入先の工場に訪問、現場調査した時にも同じことがあった。特に海外での調達先訪問では、とても見ていられない程の現場管理状態を何度も見て、黙って帰るわけにもいかないので「整理・整頓もお忘れなくお願いします」と済ませ、その後キチンとした改善が進まなかった苦い経験が数社ある。

「5S」への取り組み方の変更にサインを送っていただいたのは、大先輩だった。

杉本潤治さん。デンソー・ラジエータ生産技術の先輩で、冷暖房生産技術（エアコン製造）、冷暖房製造部長を歴任され、デンソー始まって以来の大規模海外拠点である「DMMI＝DENSO Manufacturing, Michigan」の工場建設、生産準備を指揮され、後にGAC（現・DENSO Air Cool）の社長をやられた方だ。

生産技術、製造部管理では大変厳しい方で、自分が若い時代はビクビクしていた程。

私が、DENSO MARSTON（英国）で苦労していた頃に、来ていただき当時の子会社経営の難しさ、海外拠点の難しさを夜遅くまで話させていただき、それ以降は時々お会いするたびに激励をいただけた。

その杉本さんが、GACを退任されて数年後、私もGACに赴任することとなった頃に、声をかけていただきたくさんの資料をいただき、「君に預ける、やる」と受け取った中の多くが「5S」に関するものだった。杉本さんも、生産会社の経営をされながらも「5S」のことをいろいろと考えられ、研究されていたことに心が動いた。

そこで気づいたのが、「段階的」ということ。

また、自分なりにいろいろな生産現場をやってきて、その現場のニーズ、レベルに合ったやり方をしてきたんだろうかと、考えさせられた。

さて、仕入先訪問での5Sへの取り組み姿勢のことへ戻って。

もう1つの反省は、「整理・整頓もお忘れなくお願いします」と済ませて出張レポートには、「5Sのレベルが低かった」なんて書いていたこと。これが、訪問先に伝わっても「では、どう改善すればいいいんだ?」となり先に進まない。

こんなことから、ある時から「自分の今の会社状態、工場の実態に合わせて何が適切なのか」を自問自答して、やり方を変更、工夫することを始めた。

事例（1）ガムテープで「整理」のスタート

準備物：ガムテープ（赤色、黄色）、油性ペン（太字）、メモ帳

活動：該当する現場の責任者と共に現場の隅々まで見て歩く。

通常の生産活動に使っていないようなもの、通常の置場から外れて置いてあるもの、仮置き品、チョイ置き品を見つけて、片っ端から「これ、要るの？」と確認して、即答で「不要」なものには「赤色のテープ」を貼る。

「答えに迷っているもの」には、「黄色」、をどんどん貼りまくる。

「赤色（不要物）」の置場（スキッド、仮収納箱等）を用意して、2、3日の間に、移す。

「黄色」は、責任者がもう一度考えて「要・不要」を決める。ここまでは、普通にできる。

大事なのは、「黄色」の処置。収納などの処置責任者の名前と期日を黄色テープに書き込む。

後から、振り返ってみると、

① 連番を付けておく

②リストを作りながら歩く（赤・黄区分、場所、品名、個数、処置責任者、期日、収納先、等）

③「赤色スキッド」を乗せた台車を転がしながら見て歩き、「赤は、その場で回収」

などのアイデアも思い付いた。

当時実行できなかったが、「赤」「黄」となった理由を何かの形で明らかにすれば、次の改善に結び付きそう。ここでも、リストを工夫すればいろいろなアイデアが出てきそうだ。それぞれの原因には、共通項がありそうで該当職場以外の改善にも繋げることができると思う。

事例（2）――モノを探す時間を減らす、「整頓」

整頓というと「必要なものをいつでも使いやすいように、決めた場所に収める」ということとなる。これは、正論なんだがもっと現場の最前線の仲間達にストレートに理解、納得して行動に移してもらうことが大切。そこで、わかりやすい表現は「モノを探す時間のムダをなくそう！」ということになる。

このため、単に収める場所を決めるだけではなくて、「見つけやすい表示」「探しやすいラベル」「見間違いや取り間違いを防ぐ工夫」が必要。さらには、「似て非なるもの」を区別して置き場所を工夫することが必要。これらのポイントの多くは、納入不良対策がスタートであるが、「探す時間を最小にする」という面でも生産性の向上に大いに貢献できる。

少し具体的な方法としては、「似て非なるもの」に対する「構え」として、

①似た品番、隣り合った品番の位置を物理的に離す。

②似た部品を「見るだけで取る」ことのないようにモノを見え難くして品番や品名を確認させるように細工する。

③「モノの形状」ではなくて「品番、品名」で仕事をするというような工夫が期待される。プリンター補充インキの品名には、「カメ、タケトンボ、サツマイモ」などのニックネームもあり、よく考えられている。

事例（3）――「ゴミ箱」を見れば、実体が見えてくる！

特に、海外の仕入れ先候補の会社に初めて訪問する時に、よくやっていたのが「ゴミ箱」の中を見る、手に取って触る。

会社、工場によっていろんなパターンがある。

①いわゆる「ゴミ、塵」類
②部品、製品の不良品
③部品に付いていた保護紙、粘着パッキンの糊部分を保護する紙
④部品の入っていたビニール袋、部品同士のこすれ防止用の仕切り紙（新聞紙など）
⑤工場内の書類、伝票で不要となったもの

この他に、時々見かけるのが「落下品」。落下品＝使わない、不良品扱い……というのは、その会社の管理レベルが想定できる。ゴミ箱の横で、現地関係者とゴミの処理に関する会話をすれば、一見整っているようで、何かが見えにくくなっているという実態がわかってくる。

事例（4）――「手直し品置場」を見て、現場管理の実力を考える

各工程で発生した手直し作業を必要とするモノが、発生した工程の近くに置いてあるのか、手直し場に集結してあるのかによって普段の現場管理のやり方を聴くキッカケになる。モノによっては、その場ですぐに手直しして、発生工程の作業員にフィードバックをかける方法もあるし、専門技能がないと直せない程度かもしれない。こんなところを現場責任者、工場責任者に聴きながら辿《たど》っていくと、いろいろな実態が見えてくる。

ある程度の工場では、作業員が「どんな不良なのか、どこなのか……」を製品やメモ紙に書き添えていることもある。このように、必ずやらねばならない手順の他に「もう1つ」ができているかどうかで、実力がわかる。

事例（5）――「不良品置場」を見て「次の改善」へのスタートに！

生産現場には不良品が付きもの。「ない」のは、一見良さそうだが工程能力に対して規格が甘すぎたり、コストダウンの活動が不熱心でギリギリまで攻めていないというケースが多い。

だから、「不良品」を忌み嫌うことには賛成できない。

ポイントは、不良品、手直し品、廃却品を如何に次への改善に使おうとしているかどうか。

「不良品の層別置場」はたくさんの工場でやってきた。

① 中間工程で前工程での不良を発生工程別に並べる。ヒータコアの例（パレットの上に機種別、工程別、日付別、等を層別）。

② 鋳造不良品を現象別、機種別に並べ置く（中国の鋳造メーカーの例）。

③ 鋳造欠陥品を鋳造仕入先ごとに物置台上に並べ置く。廃却許可書を添える。近くには、各仕入先別の不良個数トレンドがわかるグラフを掲示（仕入先各社が月1回来社する時に眺めて、何らかの「心の動き」を期待）。

3 「当たり前」をどうやって伝え、定着させるか⁉

これまた、改善の前に現場管理の基本、前提としてキチンとできていたいこと。

ただ、製品が変わり、工程が変わり、設備が変わり、最も大きいのは「人が変わる」。新しい人達に毎回、全員に「当たり前」を教え、伝え、定着するまで面倒を見ているか？といえば、なかなか答えに窮する。

自分自身も、部下の工場長、課長、係長、班長に「キチッと教えろ！　定着させろ！」とは言い続けてきたが、結果は……。

この分野のマネジメントの失敗は、
①誰かが代表して各部門、各人の「当たり前」を収集して集大成し、配布する。
②配布し終わったら、自分の責任は全うした、後は、最前線が「やる」だけ。
……ここがうまくいかない！
③「伝えたはずだ！」「全部、網羅した！」の満足感では現場の実態がわからない、現場を見に行く気もない人が多い。
④最近では、「集大成」したものが現場ですぐ見えるところになくて、管理者の「PCの中」という事態もある。

これらの、失敗からの挽回ポイントは、

①指導者、管理者、経営者が「当たり前」を自分のものとして、全て頭の中に入れる。

②現場で見つけた「当たり前」の逸脱、不遵守を、決して見逃さない！「見て何も言わない」のは黙認、認めたこととなっている。

③上記の逸脱、不遵守を見たら、その場で、「自分の言葉で」「相手に合った言い方で」「理由を伝える」、できれば自分自身の失敗体験があれば、さらけ出して相手が理解したのかどうかを見極める。それを納得するまで続ける。

④各層の管理者・指導者によっては、「得意・不得意」があれば、確認して、お互いに共有しておくことも一人で奮戦せずに皆で助け合うこともできる。

⑤「当たり前」も一度決めたらおしまい……ではなく、少なくとも年に1回は見直し、追加したいもの。このタイミングで、関係者（特に経営者、管理者、指導者）で目線合わせができる。

よくある事例は、

①通路と工程の仕切り線を越えて、モノが置いてある（少しだから、短い時間だから……が致命傷に！）。

②通い箱の床面への「直置き」禁止。理由を正確に説明してあげる。工場の随所

に「プラスチックシート」を置いておく。

「ダメ！　禁止！　やるな！」と言っても、いろいろと言い訳を並べてやらない理由を探す人が多い。やりやすいようにする準備も重要。「逃げ道」で助けてやる。
③パレタイザの2段積み、3段積み。場所による。地震対応。
④製品・部品箱の積み上げ高さ。一律に「1400㎜以下」とかをトップダウンで号令かけても、各人の腹に落ちていないことは、定着しない。なぜか？　失敗事例の活躍場面。
⑤何度も言うのが面倒だから、「これ（当たり前集）を渡すのでしっかり読んでおけ！」は、手抜き。

4　「考える力」（日本人の得意技）を活かす！

50年間の製造部門中心の仕事を振り返って、「日本のモノづくりの強み」は、「考えて仕事をする」「考えながら作業する」ということ。これは、他国との比較からも言える。日本の中でも、それなりに選抜された人達が集まっている大手製造会社と、その協力会社やいわゆる中小・零細企業との差もあるが、バラツキ、分布の広さでは日本以外のほうが大きく、またその中での低いレベルに甘んじているケースが多かった。日本国内での「バラツキの大きさ」もあるが、国民性なのか「より良くしよう、なろう」という姿勢は海外に比べて大きい。したがって、「日本のモノづくりを強くしよう」と考える場合は、この「考える力」を如何に引き出すのかがポイントとなってくる。

歴史的に日本の「近代的なモノづくりの先輩」である欧米諸国での「マニュアル整備」文化を倣う傾向も止まらないが、マニュアル偏重になり、マニュアル通りやれば良い品質と約束通りの納期で競争力のあるコストでモノができるか……というとそうではない。確かに、基本としての製造基準、作業標準、検査要領等のベースは必要不可欠。しかし、あまりにサービスしすぎると、「マニュアル通り」に作業・仕事をすることが目的となって本来の「モノづくりメーカー」としての目的、目標を忘れてしまいそう。想定外事象への対応力が弱くなる。考える、判断する、決断するという行動を確保したい。

また、モノづくりには、変化が付きもので「5M1E（人、機械、材料、方法、測定、環境）」のそれぞれで意志を持った変更があるし、意図を持たない変化、変更に伴う変化もある。これらに対応できる応用力がモノづくり現場には必要。

作業標準書のレベルアップを狙って、社内コンテストを仕かけて「単なる手順書」から、注意点、その理由、やらないと何が起こるのか、さらに加えてそれぞれの作業時間の標準値を示して、という改良を企てたが、指導側の自己満足でもあった。変化への応用ができるような「体験学習」「訓練」が必要だと、モノづくり経験の後半に気が付いたが、遅かった。

始業時から終業まで連続してモノづくり・作業に没頭している日本の作業員の仲間は、何も考えずに作業だけをしているとか、よそごとを考えながら作業している人は少なくて、単純な作業の繰り返しの中でも何かしらの傾向を、変化を感じ取ったりいつもと違うことに気づいたり……考えて仕事をすることを真面目にできる。

コラム　日本人の「考える力」の背景は？

これは、私の限られた体験の中で感じたことです。

1．他国との比較

比較対象は、英国（2度の出向）、以下は長期出張先の南アフリカ、タイ、中国、アメリカ合衆国、メキシコ。

自分自身の経験だけの感想で、読者の皆さんからの異論が多いと思われますが……

①英国：自慢できるのは「歴史」。理屈で納得すれば動く柔軟性があるものの、メンタル面での弱さを感じます。

②南アフリカ：約束を守らないことへの罪悪感が欠如、責任転嫁をします。

③タイ：日本人という先生に対して質問することをしない、してはいけないと思っている文化です。

④中国：自分のやりたいことは主張するが、他人が見ていないとサボること、面子ばかり気にします。

⑤アメリカ合衆国：モノづくりの先輩として優越感を持ち、プライドが高いが結果を謙虚に受け入れません。
⑥メキシコ：一見真面目そうだが、表面的で適当に済ませようとします。

2. 日本の教育

日本の教育の姿勢にも繋がるような気がします。私の父、兄夫妻は教育者であって「教育には、家庭教育・学校教育・社会教育がある」と言います。仕事をしながら自ら学びリタイヤしても生涯学習として学び続ける仕組み、風土がある、という仕組みは理解できます。後は本人次第ですね。

また、ある程度の規模がある会社では「社員教育」として、基礎、応用、管理……とお金と時間を膨大に投じています。

欧米では、かなりの部分で個人が自ら学び、資格を取り別の仕事、会社へとステップアップしていきます。

日本の若者の働き方も時代の流れでいろいろと変化していきますが、日本の良い部分を残し続けたいものです。私が子育ての時代は、ほとんどサボっていて「母子家庭」と言われ続けてきました。この10年の間に孫が生まれ、そ

の成長を見ながら　時々の「遊びの相手」をすると、１つひとつの遊びの中でも「考える」ことが頻繁に出てくると強く思います。どうやったらもっとうまくできるか、もっと楽しいか、どういうルールに変えたら面白そうかと考え行動している姿を見て、頼もしく思います。「かくれんぼ」をやっていても、頻繁にルールを変更してどうやったら楽しいのかを考え、相談しているようです。また、周りの人達との関係性も考えながら、気にしながら大人のような物言いをする姿に将来の希望が膨らみます。

１歳からお世話になっている保育園での育てられ方に大いに感謝しています。

5　基本的なルールを作る、決めたルールを守り切る

多くの製造会社が、ある程度近代化された生産活動、会社運営の中でそれぞれの職場での「当たり前」「決めごと」を標準的に定めて、明文化してルールとしている。メンバー、関係者全員に周知徹底して守ってもらうことで、誰でも・いつでも同じ作業、仕事ができるようになっている。また、関連する自分以外の人達が決められたルール通りの仕事をしているという理解、安心感をベースに統制された活動、安心した信頼関係ができている。

しかし、人間はそれぞれが考えていることが異なり、時と場合によって変化する生産活動では「良かれ」と思ってより良い方法、最良の方法についての意見は異なってくる。ここで、ルールを守ることが正しいのか、決まったことから逸脱しても、良いと思う方法に変更することの是非が問題となってくる。特に、工場管理者、経営者にとってその場その場での明確な説明や、意思表示が問われることとなる。

そこで、工場運営上でも「不文律」とかいう聞こえの良い、自己弁護の臭いのする曖昧さによって起こした失敗経験をたくさんやってきた。

ここで、「ルールなし」「ルール無視」での失敗事例をパターン別に整理してみると……

①新人教育のやりっぱなし
②敢えて教えない「排他的グループ」
③「属人的」であることに胡坐《あぐら》をかいて、明文化をサボってしまう
④細かすぎるルールのために、使われない
⑤伝え方の拙《つたな》さ

などが、自らの失敗体験から思い出され、反省材料となり、挽回の起点となってきた。読者の皆さんも、同様な失敗を共有していただいたり、初耳の失敗を疑似体験して自分自身の「気づき」に変えていただければ……と思う。

各項目を、少し具体的に書き出す。

事例（1）――新人教育のやりっぱなし

よくあるケースで、標準化、ルール化していないが「守らねばならないこと」として伝え、教える。教えた側は、伝えたこと、教えたことをはっきりと記憶している。なぜならば、そのことの重要性、業務との関連での必要性を深く理解し、場合によっては自分自身の実務経験の中で身をもって体得しているため、記憶が鮮明である。また、教える人の視点で必要だと思ったタイミングで教えている。

では、教えられた側はどうか？　今の仕事に初めて就く時には、たくさんのことを短い時間の間に押し込まれる。教えられる全てが大切なこととはすぐに理解できたとしても、それぞれがどんな背景で、なぜ必要なのか、守らないと何が発生して、どんな影響が出るのか……というようには、理解ではなくて納得レベルになって腹に落ちているかどうかが、怪しい場合が多い。

このトラブルは、教育する当事者の自覚がない場合が多いので、謙虚な姿勢が必要。挽回の経験として、「繰り返し」「段階的」「自らの失敗事例をさらけ出す」「小テストで確認」……等、いろいろやったが完璧な正解には辿り着けていない。

事例（2）――敢えて教えない「排他的グループ」

このパターンは、狭い事業範囲や、小規模会社には時々見受けられる。失敗の分析をしていくと、「専門用語を知っている」「専門用語を使いこなせる」ことが一人前の証であるような部署やベテラン・先輩が保身の動きをしているようなケース。これは、自分の得意分野を確保したいと思ったり、自分を追い越すことがないように狙ったりする場合に出てくる。

わかりやすい例は、東京豊洲市場の工事で問題となった「盛り土（もりど）」。国語の音訓読みとしての正しさよりも、そのことを関係者に誤解なく正しく伝える方法として定着していると思われた。「目途（もくと）」も似たようにも感ずる。

配管業界での配管材の肉厚を表す「sch10（すけとー）」も、使いこなしているかどうかで一人前の物差しにもされていると感じるところがある。緊急時などの時、使えない人はメンバーから外される場合もある。

世代の離れた仕事仲間との共同作業の中では、お互いに相手が「体に染み込んでいる単位」を確認し合うことでつまらないトラブルや、辛い状況を防止できると思う。

事例（3）――「属人的」であると思って、明文化をサボっていないだろうか？

技能伝承の難しさの中でよく出てくるパターン。

特殊な作業を対象に「勘・コツ」「色の変化、臭い・音の変化を感じた判断基準」など、形式知化、定量化などが難しい事例があるものの、安易に長い間やってきている主担当者に「おんぶにだっこ」で頼り切ってきている場合がある。日々が「その日暮らし」的となっている会社、工場の場合は「伝承」になかなか手が付けられていないことが多い。

このリスクは、前述の技能伝承の場合に、図2のように実感した次第。

すなわち、技能は「人間」に宿っているもので、主《ぬし》である人間が死んだら同時にその技能もなくなってしまう。だから、その技能、ノウハウを保持している人が生きている間に、文字やデータとしてまとめ、手順書や標準作業書にして残し、伝承の道具とする。最近では動画情報として残すことも容易になってきている。

それぞれの職場にあった方法で明文化、形式知化を行っていく必要がある。

この活動は、同時に従来「技能」としてきたものを「技術」という財産に置き換えることができたこととなる。

図2　人間に宿っている技能を形式知化
人が死んだらなくなる！

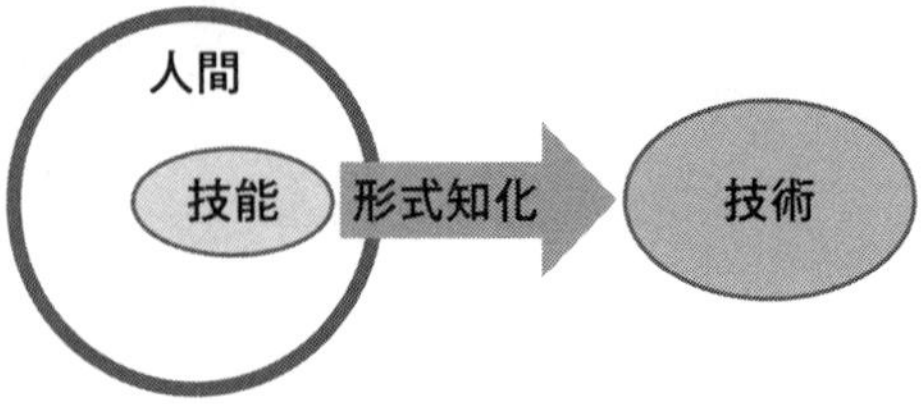

事例（4）――細かすぎるルールのために、使われない

業務に精通している人、確固たる自信を持っている人によくあるパターン。

自分自身も、熱交換器のはんだ付け、ろう付などの製造基準を作成した時に作成したものがやたらに細かいものになってしまい、自分だけで満足していたことがあった。また、将来の改良、進化ができる人財を育成して、指名しておかないと途切れてしまう。細かすぎるルールやマニュアルは、使う側にとっても現実に合わせた応用範囲の少なさのために、融通が利かなかったり、知らないうちに「行動する人」が自ら考えて判断、行動する機会を奪ってしまうことにもなっている。優秀な部下が作ってくれた「細かすぎるマニュアル」に対して、お礼と評価をしつつも、使われる状況を想像させたアドバイスが必要となる。ここが上司の腕の見せどころ。

また、異なった世代間のコミュニケーション不足にもブレーキとなってしまう。新人類、ゆとり世代、Z世代……とか言って世代間のコミュニケーションがうまくできない口実にしてきた反省もあり、「受ける側」が理解できる内容、レベルを「伝える側」が調節することが原則であるべき、ということを「今」になって再認識している。

事例（5）――伝え方の拙さ

伝え方にはいろいろな本が出版されており、ノウハウ、アドバイス、注意点等を容易に得られるようになってきた。

筆者が、自分自身の失敗体験から気を付けているのは、

① 相手の能力、知識、経験を考えて、伝え方を調整すること。

② 相手の「心」を動かすこと。

人は、心が動かないと行動に移らない……ということを幾度となく体験した。

合わせて、伝わったのかどうかの確認が大切。その確認する場面で、よくある会話が、「わかった？」という問いかけ。

この「わかった？」は自分自身もずいぶん何度も使ってきた。ある時、新聞記事でハッとさせられた。それは、筆者の身近なサッカーの事例。これは、他のスポーツでも、会社の仕事でも共通するところが多いと思う。

日経新聞の「フットボールの熱源」（『日本経済新聞』、２０１７年5月10日）より、引用させていただくと、

〈J2京都の池上正・前普及部長が監修した『サッカーで子どもの力を引き出す池上さんのことば辞典』の中に、『わかった？』と『質問ありますか？』または、『わからないところは、どこ？』の対比。何か大事なことを伝えた後、きちんと理解されたかを確認するために問いかける言葉」として説明されている。

子どもに何かを伝えた後、ふつうは「『わかった？』と念押ししてしまう。そう尋ねられても『わかりません』と返せる子どもは、なかなかいない。ほとんどの場合、黙ってうなずく。大人でもそうだろう。『わかった？』は『わからないなんてことはありませんよね』という高圧的な言葉として耳に届く。池上さんは、『わかった？』は言わないで、『わからないところはどこかな？』と聞かれる。『ちゃんとわかった？』と念を押すのではなく、理解できない部分を尋ねる。その問いはコーチが話したことを頭の中でもう一度、確認し、かみくだく作業を促すだろう。

問題は、大人と子どもが対等な関係を結んでいるかどうかだと池上さんは説いておられる。職場でも同じ〉

会社の中で、何度となく「わかった？」。「わかっただろ？」を繰り返し使ってきた自分としては、冷や汗もの。

このように、ルールを決めること、決めたルールをしっかり守ること、現実と合わなくなってきているルールを改訂すること、その改訂できる人財を育成し、指名しておくことが大切である。また、伝え方の失敗体験からの学びを活かすことも大切と思う。

コラム　体に染み込んでいる「単位」は？

配管部材ではメートル、インチだけでなく、向け先によって「25A、1インチ、1B、3／4＝6分、ポンド（lb）」もあります。また、「圧力」単位については、仕事の中で度々ギャップを感じている1つです。

自分自身は圧力単位「kg／cm^2」を、「1キロ、10キロ……」と体感と合わせて染み込んでいますが、仕事では、「Mpa（メガパスカル）」に置き換えて、仕様書、図面、設備での表示を使い分けます。ただし、身に沁み込んだ体感は未だに「キロ」。ラジエータ、ヒータの内圧は1kg／cm^2、エアコン部品は30キロ、CO_2給湯器用の熱交換器は100キロであり、漏れ検査をする時の不具合での衝撃を体感して体が覚えています。さすがに真空度はTorr（トール）のほうがわかりやすい、といったまったくの自分勝手です。ある時、若い技術者にこのポイントを尋ねてみたら、答えは「Mpa」でした。

似たようなケースに、

①長さ：大正2年（1913年）生まれの父親のメインは尺貫法でした。

子どもと話す時にはメートル法に言い換えてくれたものです。
②距離：メートル法が根付いているものの、サッカー、ラグビー、ゴルフでは「ヤード」のほうが身に付いています。
③気圧：伊勢湾台風の頃（１９５９年）は、ミリバール（mb）だったが、現在はヘクトパスカル、これは馴れました。
④温度：日本国内は、「セ氏、℃」。海外では、「カ氏、℉」が身に染みている人も多いため、会話中に計算したこともあります。

第3章

基礎段階

1　改善のスタートは、「問題点を見つける」

問題点には、いろんなレベルがあって「明らかに、危険だ」「誰が見ても、マズイ！」というものもある。また、見る人によって「問題と感じる」ものと、「これは問題ではない！」と断じられるものもある。

失敗学の師匠である畑村洋太郎さんの「教え」の中に、『人は、見たくないものは見えない』という重要な指摘がある。


現場を歩く時に如何に自分の記憶を思い出し、時系列的な変化を感じ、自分の持っている「当たり前」との違いに気づき、さらには、今見えていることが将来どのように変化し、化けるのかを想像する。こんな姿勢が大切となる。

もう少し、気軽に考えれば現場を歩いて、見ていて何かしらの「違和感」「気づき」「心の動き（スゴイ、ヒヤリ、怖い）」を感じたらストレートに行動に起こすべきと思う。そのままにしておくと、時間と共に急速に忘れてしまう。また、違和感を抱いても何も行動を起こさないということは、周りの人達にとっては、「あの人は、何も言わなかった。問題と指摘されなかった、挙句の果ては、怒られなかったから認めてくれた、黙認してもらった」といいように解釈されてしまう。

「見て見ぬ振りをしない」という先人の教えの大切さを痛感するところ。ある人に「心に思っていることを伝えないのは、思っていないのと同じことだ」という話を聞いたことがあり、それ以来は自分にいつも言い聞かせている。

さて、現場を見る能力を磨く大切なポイントに「短時間で、または一瞬で視る、見抜く」ことが求められる。量産工場では、連続したライン作業などの作業観察のやり方として「３サイクル見て、問題を見抜く」という能力を要求される。

ただ私のモノづくり経験の後半は、ほとんどがサイクルタイムの長い工程、屋台方式、コックピット方式などであった。そこでは、長いサイクルタイムの中の１、２分間程度の観察で、瞬間的に何らかの気づきをキャッチし、問題点を伝えることが必要だった。さらに、その要因を類推してその仮定した要因を裏付けるべく、現場を見るポイントを変更することも必要になってくる。もちろん、短時間で全てが見通せるわけでもないので、その現場の人達に自分の思ったこと、感じたことを伝えて誤解を取り除き、お互いの深い理解を得る必要がある。

このような短時間の問題発見能力は、改善活動だけでなく日々の「朝一番の現場巡回」などにも応用でき、その毎日の積み重ねがだんだんと「気づき力」を鍛えることになる。

このように問題点も1つひとつの事象、状況が「問題なし」であっても、昨日、先月からの変化が問題だったりする場合が多く、ダイナミックな対象も相手にしていることを認識する必要がある。

2 まず「問題点を見つけやすくする」行動をしよう

改善の第2ステップは、「問題点を見つけやすくする」こと。

第1ステップでは、「見えている問題点、見えている状況を問題と認識する」ことを話した。ここでは、「一目では見え難いこと、または見えない、気づくことができない問題点」の話。

TPSや、いろいろな改善活動のやり方を整理してみるとどうだろうか?

ロケーションの整備、在庫の層別、在庫の低減、後工程引き取り、後補充生産、小ロット化、出来高管理表、アンドン、生産進捗かんばんポスト、これらは何のためにやっていることだろうか? さらには5Sも何のためになるのかを考えてみると、それぞれが改善前の道具、方法であり、これらの目的が「見え難かった問題点、見えなかった問題点を見えるようにすること」となる。また、見え始めてきた小さな兆候に気づき、感じる力を持ち、未来の変化を想像することが大切となる。

まずは、現場での工夫について昔から上司、先輩から言われてきたことの意味を考えてみると、それぞれの指針、方法の根拠が「問題点を見つけやすくすること」に結び付いてくる。このように与えられた方法だけではなく自分で自職場に合ったやり方を考え、試してみて問題点の見え方、またその見え方の変化を味わい、体感してもらうことが有効と思う。どんな方法、手段を使うのかは、工場管理者、監督者の自由裁量であり、問題点の見え方や、部下の参画状況を見ながら変えていくことが、腕の見せどころ。

出力が思うように上がらない、生産性が伸びない、工程内不良が減らない、手直しが慢性的……等の壁にぶち当たった時には、方法による効果の良し悪しを気にせずに「まずは、思い付いたことを試してみる」の姿勢で動き始めることが大切。一時期はうまく機能したが長続きはしなかった、という経験がたくさんある。これは失敗でもあるが、その理由を考え次への変更を思い切ってやることが、上司からの評価、他部署の批判を気にするよりも大切だと思う。また、隠さずに周りの関係者に発信していくことで、他部署の人達が「疑似体験」をして、自職場にとってよりミートする方法を考える機会作りになるはず。

次に、具体的な事例を失敗作も含めて披露するので、狙っている「心」を想像してもらって、自分なら「こうしよう」「別のやり方を思い付いた」……どんどん進めていただきたいと思う。

事例（１）――「落とした部品」からの発見！

カーエアコンの組付けラインでの事例。

前工程のヒータコアの一貫生産ライン、エアコンケースの樹脂成形工程、及び購入部品の投入を受けた、長さ約20ｍのベルトコンベヤラインに10数名の作業員が配置され、20～30秒程度のサイクルタイムで組み立て、調整、検査、箱詰め梱包をしている。先頭は、射出成形された上下分割のケースを合体し、内蔵物であるヒータコア、エバポレータといった熱交換器、エアコン内の風を制御するドア、その駆動機構の組付け……と続き、駆動確認、配管部分も含めた気密検査、及び外観検査を経て通い箱への梱包までの工程。作業は、主にベルトコンベヤ上を製品が移動するので、その場で組んだり取り置きして後工程に送っている。

この組付けライン用のベルトコンベヤの終端には標準的にベルトがターンする部分の下方に「ゴミ受けトレー」がある。日々の作業場周辺の清掃とは別に、月単位程度で溜まったゴミの回収をやっていた。２度ほど、その清掃作業を見た時に、単なる埃、ゴミだけでなくたくさんの小物部品が入っていた。そこで流動機種の差もあるだろうと、図

3のような、手作り回収箱を準備し、毎日の昼勤、夜勤さらにそれぞれの午前・午後に分けてみた。この回収箱は、小物部品の通い箱に段ボール紙で仕切りを作り、「饅頭箱」のようにしたもの。

2週間ほどで、面白い結果が見え始めてきた。落ちているものは、ビス、スプリングなどの小物部品。ベルトコンベヤのアンドン機能（緊急停止ボタン）を操作せずに、少々の作業遅れについては、頑張って対応していたのが実情だった。大物部品は、作業位置での別部品への交換などをしていたが、小物部品は、組付け作業時に落としてしまったものを回収するよりも次の新しい部品を取り直して作業するほうが遅れない。挽回が早いためそのままベルトコンベヤ終端まで運ばれてゴミ受けトレーでキャッチされていた。

この時の状況は、小さなスプリングの落下品が夜勤だけに多いこと。該当工程は容易にわかるので、監督者が早速改善してくれた。翌朝に夜勤での改善を聞いてみたところ、この工程の作業員は「左利き」であり、利き手に持った電気ドライバーと反対の手でスプリングを1個ずつ取り出す時の「手の交錯」があった。対策は、部品置場の変更だけ。昼勤の右手が利き手の作業員が担当する時と都度変更可能にした。

日々の生産準備、日常管理の至らなさに恥ずかしい思いをした。後から考えれば、左利きの人の作業を見た時にその異常さに気が付けば簡単なことであり、交替勤務なので少なくとも1週間ズレではできたことだった。

と、ここまではうまく進んだが、このやり方は長続きしなかった。現場監督者にとって毎直の午前・午後にゴミ受けトレーを回収する煩わしさもあった。現場を見る目の変化と毎日の終業時に各作業員が持ち場周辺の清掃をする時の気づきからの反映によって現場の意識が大きく変わり、ゴミ受けトレーでの回収が激減した。ただ、管理監督者としては、そもそも周辺に落ちている部品などを見れば容易にわかること、それらを聞き出す姿勢という意味では反省点。見えなかった問題点が、少しの工夫ではっきり見えたということを学んだ経験ではあった。

整理、整頓、清潔、清掃の毎日やっている活動の中で、もっと気づきが出てくることがありそうだと感じる。

図3　落ちたゴミの分類　現物がわかりやすい！

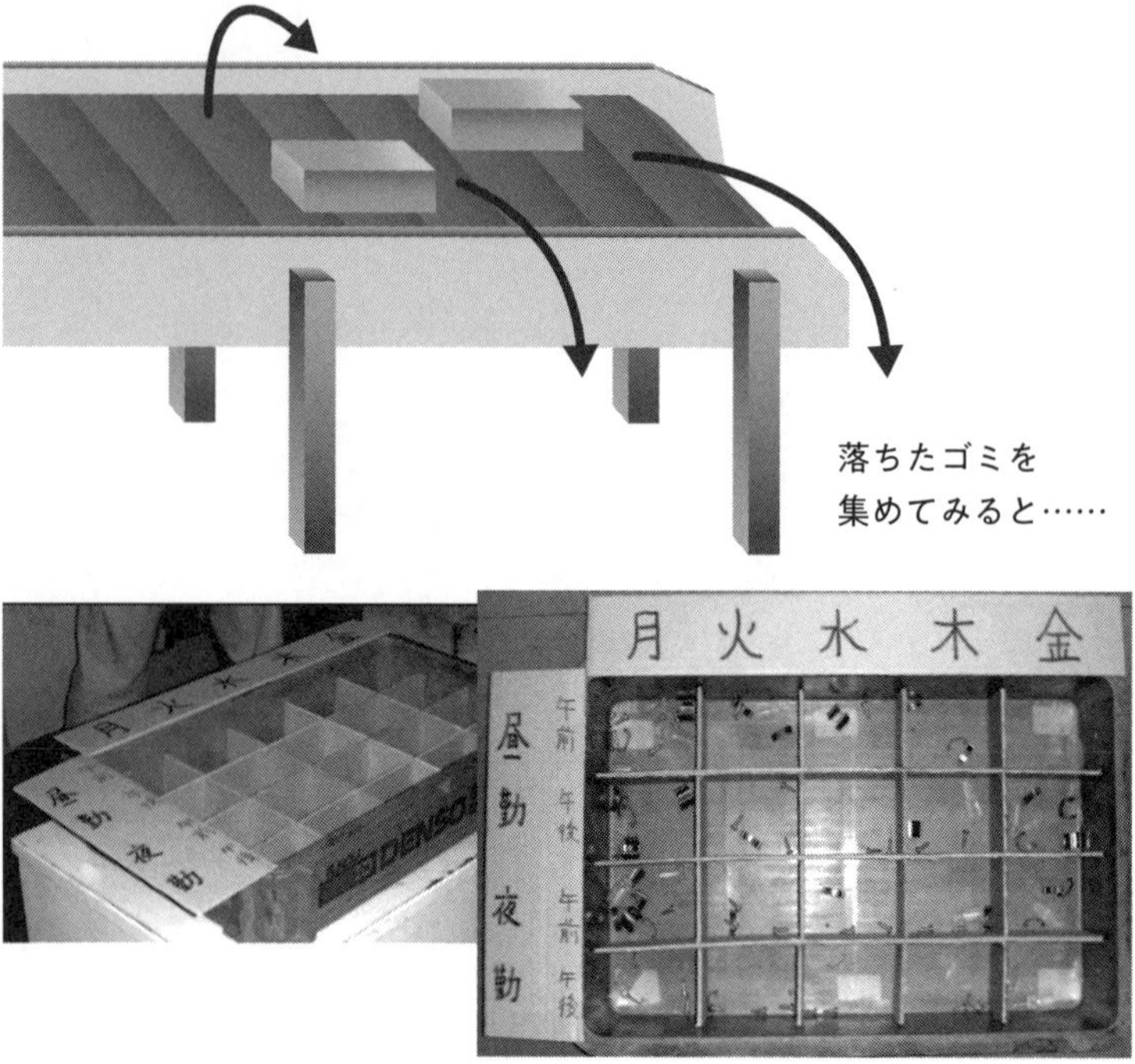

事例(2)——簡単な層別でOK!(ねじ加工会社での不良発生対策)

2009年頃の話、エアコン部品の小ねじに加工不良があり、組付けできないというトラブルがあった。このねじの製造は、岐阜県にある仕入先の担当だった。この会社は社長の他に奥様ともう1人の従業員の3名という規模。

トラブル発生時には、エアコン組付け工程と仕入先からの入荷品を全数選別して、当面の良品確保をしたのちに現地へ出かけた。ねじの転造機が3台あって稼働中であった。社長から、問題発生工程の説明と、当面の流出防止策の説明を受け、現場へ。

その時点では、まだ不良発生が完全に止まっていない状況だった。投入材料、設備本体、及び設備に付加された搬送レールの中のいろいろな要因が絡み合って、不良が発生していて奮戦されているとのこと。

私は、若い従業員の方にお願いして、ホームセンターでポリバケツを3個購入してきてもらった。色違いの3つのバケツに不良形態ごとに油性ペンで明示し、発生の都度、各バケツに放り込んでもらえるように頼んでその場は退散した。

その後、1週間もしないうちにそれぞれの要因別に対策が取られた結果、不良が激減した報告を聞いた。自分でやり切れなかった後ろめたさもあったが、社長自身が自分自身で問題点を要因別に対策し再発防止してもらった話をうれしく聞いた。結果的には、それで良かった。

ちょっとした分類で、見え難かったものが見えやすくなり、改善の効果も正確ではないにしても掴めたために、自発的な活動が主体的に進んだと思う。生産現場での、不良対策というと頭から「データ取り」「分析」などとその現場に合わない、自分中心の指導、要請を言いがちだが、図らずも手抜きの「言いっぱなし」がラッキーだった。問題点を見えやすくする手段であったことを、言い忘れたが……多分わかっていただけたと思う。

後から考えると、バケツの内側に何本かの線を書いて、もう少し定量的なアプローチをしたほうが良かったのかもしれない。または、もっと小さなバケツか小箱でその個数でカウントする方法もあった。さらには、現象別だけでなく、要因別に分類できたらもっと面白いと、後で感じた。

事例（3）――在庫を分解して、別々のアクションを！

「在庫はダメ！　悪だ!!」と若い頃に課長（生産技術課長）からいつも言われていた。時々、「どうしてですか?」と聞くと、答えは「金利分を損する」と言われた。経営分析、財務会計の知識がなかった時代でもあり、まったく自分の腹には落ちていなかった。「何かあった時に困るんじゃないか?!」と腹の中で、反発していた。

生産技術の担当だった時代に何度かトヨタ自主研を受ける立場になったものの、指摘された中間在庫の多さに対して、距離を置きその場しのぎのハード対策に注力し、真剣にやっていなかったと反省しきり。

在庫は、「分類する」必要がある。

その内訳は、①通常分、②振れ対応分、③直差・休日差分、④非常手持ち、以上でおしまい。

それぞれには、対応責任部署が異なる。②の「振れ」は、営業、生産管理の仕事、③の「直差・休日差」は、人事、労務関係の担当であるし、④の「非常手持ち」は、主には保全、生産技術。設備故障時の代替設備、代替ラインの設定や、修理に必要な時間、修理部品の確保量、調達までのリードタイム。ところが、よく見かけたり、聞くのが「安全在庫」。これが一番のくせ者。私は、これを「安全在庫＝非常手持ち分＋安心分」と定義している。「安心分」とは、「工場責任者や経営者が、安心して枕を高くして寝ていたいもの」。これは、「ゼロ」で良いはず。

こんな具合で、それぞれの部品在庫、製品在庫を①、②、③、④、＋⑤（安心分）に分けてみる。例えば、②の振れ分は「0・2日分」、③は、製品が客先ラインとの同期度合いにもよるが0・3〜0・8日あたりで決める、前工程、仕入先部品も段取り替え実力や輸送のリードタイムも考えて決める。④は、先述のように生産技術、保全と相談する。ここらあたりをキッチリとやっていくと、曖昧な「安心分（⑤）」の実態が見えてくる。ただ、理屈だけでは決めにくいところも出てくる。私の経験では、2つの現実解を使ったことがある。

（1）小ロット化は、段取り替えの現実的な目標が稼働時間の1割程度としてみる。

（2）理屈、計算で出しにくいところは、過去の経験・実績を見て「時々在庫がなくてヒヤヒヤする程度。

ここで理解していただきたいのは、「多すぎる在庫」のために、前後の工程でそれぞれの抱えている問題点が浮き出てこないことを防ぎたいということ。小さくても目立たない、または慣れっこになっている頻発停止（チョコ停という人もいる）が、在庫のために見えない、目立たないのはダメということ。改善のニーズが消えてしまう。

このように考えれば、在庫の量、状態を適正にすることにより見え難かった問題点を浮き上がらせ、改善ニーズを湧き上がらせて、催促する有効な道具となる。指導する場面では、「在庫が多い！」という発言だけでは、受ける人達が「何のための在庫低減」なのかを腹に落とせずに反発ばかりが起こり、言われたことだけをイヤイヤやっておこうと曲がってしまうケースを幾度も見てきて、残念であるし、助けてあげたいと思う。

事例（4）――変化点ボードも活用できる！

「変化点ボード」を使っている、または過去からの伝統で使い続けている職場も多いが、どれほど改善に使われているだろうか？　使われていない方々のために、少しだけ紹介しておくと、

毎日毎日の変化点を４つ（４Ｍ＝人、材料、機械設備、方法）の視点で確認してみたり、６つ（５Ｍ＋１Ｅ＝＋測定、環境）の切り口でその日の変化点を書き出してみる……ということがスタート。そのステップは、

①それぞれの変化点を書き込む
②変化点に合わせた対応を書き込む
③朝礼などで共有する（ベクトル合わせ）
④空き時間に現場の状況を再確認する
⑤さらなるコメントを追記する

……と、ここまではありきたりで単なる「当たり前」のルーチンワークとか、やらされ仕事の姿。もちろん、所期の目的はそれなりのことが得られていると思う。

ここで、私の身の回りであったうまくいかなかった事例から、変化点ボードの使い方そのものの改善を含めて、この変化点ボードを使って「問題点を見つけやすくする」ことに発展していきたいポイントをレベル別に示す。

①「目に見えた変化だけを書き出す」レベル

誤りではないのだが、如何にも工場管理者、現場監督者としては寂しい。目に見えた変化の「要因、原因、わけ」を一瞬で良いので、考えていることのキーワードを書き込むことで、メンバー全員の「気づき」のレベルアップ、視野拡大、ひいては潜在リスクの発見、危険予知力の向上に繋がるもの。

②「前の日の記述を消さないで、前日と変わった部分だけ書き直す」レベル

一見、効率が良さそう。だんだんと「手抜き」＝「考えなし、考えサボリ」が増大して、無意味なボードになってしまった。ここが現場監督者（例えば班長）の頑張りどころ。朝礼の30分前に現場を眺め、出勤状態を確認し、前夜、前直までの稼働状況を中間在庫量、帳票、申し送り帳やメモから読み取れば、いっぱい思い付くはずだ。

③「1人で全部やり切ってしまう」人

班長など現場監督者の責任感の強さを認めてあげることは必要。しかし、メンバー全体の「動き、特に心の中の動き」を気にして、少しずつでもメンバーの自らが書き加える余地を作ってあげることも大切。ただしこの段階での指導は、個人別の適切な対応を選ぶことが肝になる。

やらされ感の排除、当事者意識の向上、参画感……ひいては、メンバー自身の「問題発見能力の強化、向上」に繋げていきたいものと今更思っている次第。

以上のように、変化点ボードを持って、使うだけでも「問題点を見つけやすくする」ことによって、次に向けた改善のキッカケやヒントがゴロゴロ出てくる。

事例(5)──グラフは「手書き」で、体で感じる!(管理帳票の活用)

生産現場には程度内容の差はあるものの、どの工場でも管理帳票があり、掲示されているケースが多いと思う。これは、事務部門や営業部門でも同じことがあると思う。

管理帳票は、何のために記入し、掲示されているんだろうか?とそれぞれの職場で考え直してもらうと、それなりの答えが見つかると思う。従業員の中には「仕事」というよりは「作業」として決まっていることを実行しているケースが散見される。こうした人達に対してもこの管理帳票は、過去・現在の現場状態を正確に表しているものが多いので、活用してもらいたいもの。また、目標との対比も容易にできる。

単なる実績記録、計画と実績、QC7つ道具といわれる各種の管理図などを思い起こしてもらい、記入中と記入後に眺めている人や見ている時間はどれ程だろうか? その時間の少なさにヒヤッと気づくことが多くある。

まずは、記入段階。私は、グラフは『手書きで!』をいつも主張している。

前回までの記入結果に加えて新たに「1つの点」を書き込む。普通の人ならば、そのポイントが前回と比べてどうなっているのかを考え、気にするはず。その次に、前回の点と今回の点を線で結ぶ。コンピュータに頼れば、データをインプットするだけで、正確に新しいプロットが加えられ、同時に前回データと結んだ「線」もキレイに正確に書いてくれる。

もう1度、「2つの点を線で結ぶ」行為を振り返ってみよう。普通は、この2つの点を小さな定規をあてがい、鉛筆で両点を結ぶ。この時に、あてがった定規の角度、傾きが目標線の位置、または月間積み上げ目標線の角度とどれ程違っているのを一瞬、1、2秒だけでも味わってもらい、何かを感じ、何かに気づいてもらいたいもの。

もう少し、大げさに言えば「グラフ線にあてがった定規の傾きを体で感じる、味わう」こと。一瞬でも、悔しい思いをしたり、達成感を味わったりしその時に「何でだろう?」と考える時間を大切にしたいと思う。

ある会社の工場管理板にたくさんのグラフが貼ってあった。そのボードにマグネット付きのペンケースが装着されており、中に鉛筆と一緒に「定規」が入っていた。この状態から、普段の管理状態の適格さが容易に想像できた。

凄いグラフを見た経験を紹介する。月間の管理グラフで毎日の実績を点のグラフで表示し、各点を結ぶ線をコンピュータで書いてあるものだった。週末の土曜日、日曜日には実績がないので「インプットは「なし」＝０（ゼロ）」。何と、金曜日の実績点から「０（ゼロ）」の土曜日に向けて急降下する線が引かれ、想像されるように日曜日から月曜日には急上昇している。

もちろん、使い慣れている人達はこの自動作成動作を頭の中でキャンセルして考えてもらっていると思う。しかしなぜグラフにするのか、それは変化を見やすくしたり、瞬時に判断するためと考える。そのためにキレイで正確そうな自動作成グラフを手軽に手に入れることと引き換えに気づき、考える機会を失っていることは悲しい限り。入力の仕方、自動作成ソフトの使い方で良い方法があるかもしれないので、得意な方に任せたい。

グラフの活用についても、ひと言書き残しておく。せっかく作られた管理帳票やグラフが意外に使われる機会が少ないのが気になる。せっかく作成された管理帳票が、どれ程読まれ、見られ、使われているのかを考えてみたいと思う。作成者での活動は前述したが、現場・現状に実態をより正確に「見える」ようにしている管理帳票を見る人に目を向けてみると、意外に反応している場合が少ないのが現状ではないだろうか？

生産現場の知識、経験が少なくても管理帳票を見るだけでずいぶんと現場の実態がわかりやすくなっているはず。ここで、上級管理者（工場管理者、経営者）の役割は、

「反応すること」「アクションを起こすこと」だ。

体を使って、体で感じてグラフを作成した人達は、上司がいつ、どのように見て反応しているのかを、大変関心を持ってみているもの。前にも書いたが、「思っていても行動に表さない、話さないことは、『思っていない』こととも受け取られる」ということを肝に銘じておく必要があると思う。

グラフが少し見苦しくなったとしても、コメントを書き込むことや、激励や注意点を付箋紙で貼っておくことで、より意味のある活用と共有が図られ、ひいては関係者同士の信頼関係が築かれるものと信じている。

このように管理帳票の作成段階、活用段階の中で「見つけやすくなってきた問題点」が次の改善に結び付ける大きなキッカケとなることを理解していただきたい。

コラム　アナログ管理の長所

　昨今、デジタル化、ＤＸと叫ばれ、政策の変更や仕事の改革に大きな変化が出てきております。私自身は、この動きに対して「大いに推進すべし」の姿勢ですが、時々戸惑うことがあります。

1.「デジタル化」

　意味合いは、「ＩＴ活用の促進」と受け取っております。

　この動きは、40年前でもやっていました。ちょうどWindows 98、日本語ワープロが活躍し始めた頃です。勤めていた池田工場では、ＵＴＯＰＩＡ活動と称して、客先からの受注情報をリアルタイムで加工し、最適な生産ラインに振り分け指示し、結果をフィードバックして全体効率の飛躍的な向上を狙いました。私の役割は、ハードエリアでの各組付けラインの融通性改革で、段取り範囲の拡大や段取り期間短縮の設備改造に力を入れていました。

　この時、ややもするとコンピュータ化という手段が目的のように思われる場面が多く、総責任者の川合峰夫製造部長からは、何度も言われたことが、「今の仕事を書き出せ、何をどう改善するのか考えて、まずは改善しろ！　改善案の中で自動計算、判断などの機械化、自動化したほうが正確で迅速なものをコンピュータでやれ！」でした。これには、関係者の全員が腹に落ちました。

1つの独立した工場というラッキーさがあったかもしれませんが、その後の全社展開に結び付いた仕組みになりました。同時に、今ほどの進化はないにしてもITの活用への基本的な心構えは、正しく教えてもらい、育てられたと思います。

いつからか、どこからか「デジタル化」のキーワードが暴走しはじめて、コンピュータをうまく活用した仕事のやり方改革という良き面が誤解されていることを心配しております。心配は、とんでもないところで発生しました。ある技術的な実験の中で、製品にかかる応力が時間の経過でどのように変化するのかを確認する実験でのこと。実験装置には、データを記録できるレコーダが組み込まれ応力の変化がそれぞれの部位ごとに異なった色のペンで自動作図・記録されます。後日まとめられた技術レポートの中にこのグラフがなくて、各経過時間ごとの応力値が数字で書かれた「数表」（デジタル情報）に置き換えられていました。当人は、デジタル化の波に乗って、良かれと思いわざわざ、記録紙から「読み取ったデータ」を数表にまとめ直したとのことでした。
アナログ情報の良さ、大切さが消されてしまった悲しい事件でした。

財務諸表等には、たくさんのデジタルデータが使われています。財務・会計には不得意な人（特に私ですが）もいます。これらのデジタルデータを見ながら、頭の中で「引き算と割り算」をして、それぞれの数字の比較をしています。わかり難い時、複数の対象を瞬時に判断したい時にはグラフや図表に加工します。このようにデータを加工して一目でわかりやすくして「情報」とする手段としてのアナログ化が有効と思います。

2.「アナログ」と「アナクロ」

アナログ応援隊として、気になっているのが「デジタル」の反対語、対比語としての「アナログ」です。前述のように、進化しているもの、先進的なものとして扱われる「デジタル情報、デジタル化」に対して、「進化が遅れた古臭いもの」として「アナログ」と誤って理解されているケースが目立ちます。

正しいのは、「アナクロ＝アナクロニズム　Anachronism」でして、新旧を取り違えたり、時代錯誤の意味です。アナログの復権を願いたいものです。合わせて、人を教える立場の人達、メディアの方々も含めて「アナログとアナクロ」を使い分けていただきたいと思います。

新型コロナウイルス感染状況のデータの中で「新規の陽性者数」があります。○○年○○月現在と、毎日毎日報道されています。皆さんどのように頭の中で咀嚼できているんでしょうか？　特に、感染が始まった頃に大きなショックだったのは、志村けんさん、岡江久美子さんが感染後非常に短い期間でお亡くなりになったことです。この件以来、恐怖感が増しました。

横軸に時間を、縦軸に感染後の病状の悪化具合をグラフ化して、1人ひとりの連続量（アナログデータ）とすると、投薬を受けて、悪化がどの程度抑えられたのか、ICUに入ってどうなったか、ECMOを使ってどうなった？　どの程度の時間がかかって病状が回復したのか、または途中で急に悪化して亡くなってしまったのか……。

最近では、いろいろの派生型によって病状の悪化状況はどのように違うのか、ワクチンを打つたびに抗体量が上昇してどのように感染防止、病状悪化防止に寄与しているのか知りたいものです。

図4　アナログデータの大切さ（新型コロナウイルス感染対策）と思ったこと

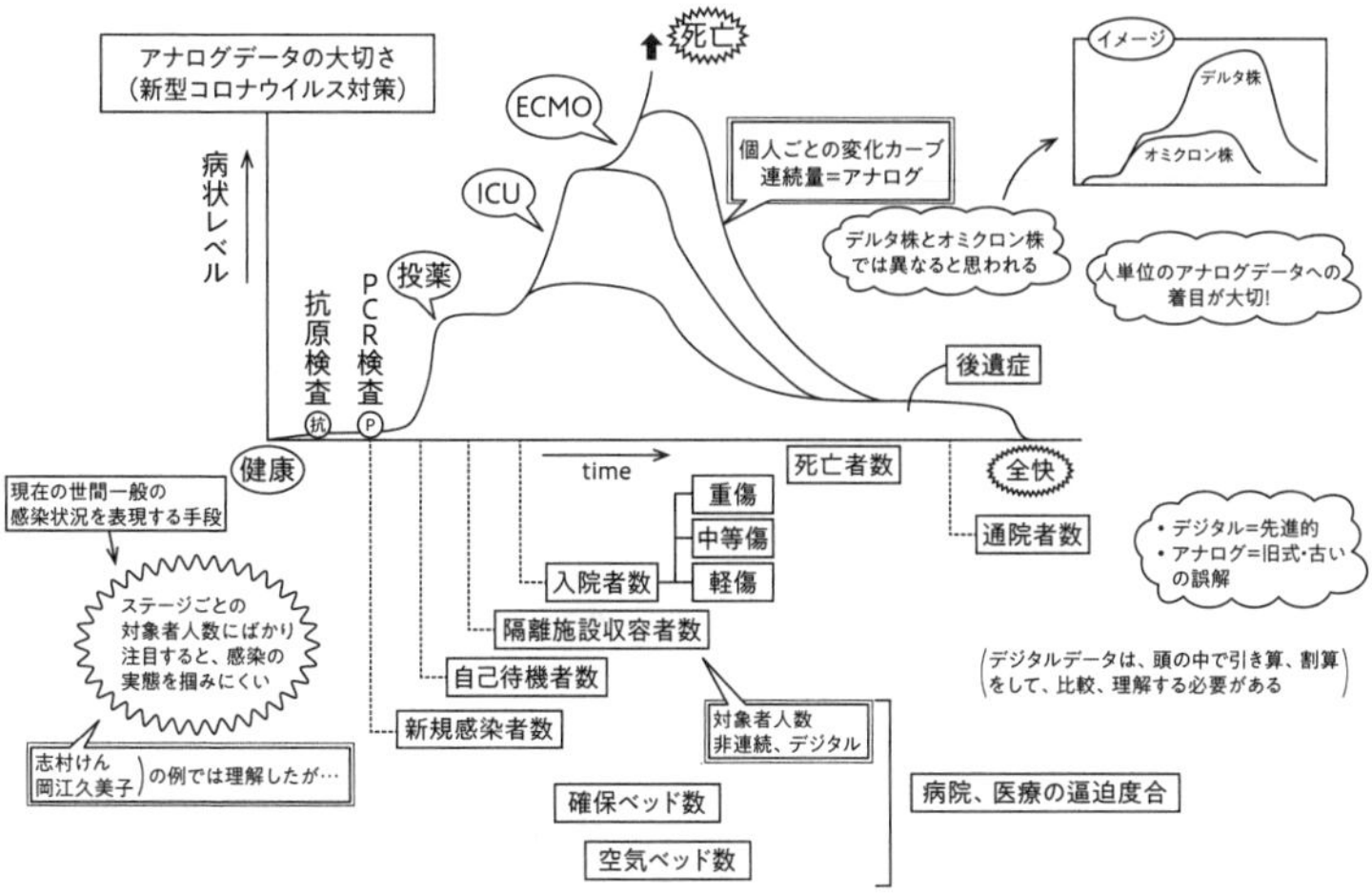

3．「データ」＋α＝「情報」

我々は財務諸表、管理帳票、実験結果等でたくさんのデータから判断、決断に使うための情報を得ています。ところが、散見するのが「データだけを提示」で終わっているケースです。データを伝えて理解し、行動を起こしてもらうためには、できるだけ誤解がなく、短い時間の中で理解してもらう必要があります。そのためにも、デジタルデータのアナログ化は大切な準備の1つですし、合わせてそのアナログデータから得られる所見、考察が必要です。

我々の世界では『中小企業白書』『ものづくり白書』などを手にすることが多いのですが、それぞれの記述内容が見事に「情報化」されています。必ず、グラフに付随して「このグラフから得られる結論、ポイント」が書かれています。

会社の中では、次のように言い続けてきました。

「データ」＋α＝情報、

同じように

「作業」＋β＝「仕事」、単純に作業をやるだけではなく、作業しながら考え、思い、自己チェックすることで初めて仕事をやったこととなり、給料もいただける。

日本のモノづくり、民間の会社仕事の大切な観点と思い、「仕事をしたら給料を払う」と言い続けてきました。

3　問題点を見つけやすくする（管理者の姿勢）

管理者の役割については、後章でまとめるが「問題点を見つけやすくする」ことに特化して、書き添えることにする。

今まで書いてきたような仕かけ、工夫や分割などのテクニックによって見つけやすくなった問題を関係者全員で共有して原因分析から改善案の検討、実践することに結び付ける。同時に、工場管理者、経営者は一般従業員、スタッフとは異なった役割が求められる。それは、ただ単に長い経験や、広範な知識だけではなく、上に立つ立場としての広い視野からの視点や将来への予測を踏まえた問題意識が必要となる。

日々の現場巡回、仕入先や関係会社・工場の視察の際に自分1人でどんな気づきを持ち、如何に違和感を感ずるのか、それらを周りの仲間達に即時に伝えられるのか、これが勝負となる。普段から、自社事業範囲だけでなく広い視野での情報収集や好奇心の持ち方が期待されるところ。直接・間接的な情報は、確かに部下から必要と思われるものが提供されるが、誰にとって必要な情報が提供されているのかを見抜く必要がある。よくあるケースは、部下が自分のために有効な情報をあなたに提供していることもあり、あなたに成り代わって選択しているのかどうかを考えたいところ。さらに良いのは、自ら見つけやすくする能力を身に付けること。

また、社外の場合はできるだけ見えにくくされていることも含めて、相手の「正直さ、本音の出しやすい」関係作りも大切になる。自分のほうから先に自社で困っているポイントを話しながら、ヒントをもらう姿勢が適当。そうすれば同じモノづくりの仲間意識が双方で感じられるという関係、雰囲気ができてくるもの。また、自らの失敗談や困っていることの披露や相談を持ちかけることは、相手との「心の距離」を縮める有効な姿勢となる。仕入先相手の場合は、放っておいたら「上から目線」となりがちであるし、受ける相手の受け身姿勢も助長されるので意識した姿勢の自己管理が期待される。

4　見つけた問題点を目立たせる

さて、見つけやすくして見えるようになってきた問題点を次のステップではすぐに改善したくなるもの。ここで少し我慢して、見えてきた問題点を強調して、関係者のより多くのメンバーにわかってもらうことが大切。また、1人ひとりが思っている問題点をチーム全体としてどの問題に集中するのかの合意を得るための共同作業も大切となる。問題点は、いろいろなところから出てくる。前章で話したように見つけやすくしたた結果、見えるようになってきた問題点には、とかく鬼の首を獲ったような気持ちになって重点的に挑みたくなる傾向がある。少し待って考えてみる。

もう一度問題点はどこから出てくるのかを考えてみると……

①ルール、しくみ通りにやっていても出てくる異常
②いつもやり難いと思っていること
③時々、ヒヤッとすること
④いつも何とかしたい、してほしいと思っていること

など、メンバー各人が頭の中にそれぞれ異なった重み付けで持っているはず。それらの黙っていて出てきていないで後ろに潜んでいる問題点、あるいは不満なども含めて1度、問題点を全部陳列し、さらけ出してみる。こうして目立たせることが関係者全員の認識をレベル合わせし、グループの総意として何に重点を置くのかの意思統一をする上で大切なステップとなる。

事例（1）――一度テーブルに載せて共有した後に、狙いを決める！

納入不良の半減活動やミスの撲滅活動をとことんやっていくと、かなり不良が減ってきて、それでも五月雨的に発生する1個不良に手を焼くもの。

このような時によくやる手が「潜在不具合の発掘」、予防策としての「やり難い作業の抽出、改善」がある。幾度かやったが、うまく進んで効果を上げた時もあるしマンネリとなって先すぼみとなったこともたくさんある。今になって考えてみると、抽出件数の多さやその増加に自己満足して、パワーの集中がおろそかになっていたようだ。これは「やり難い作業の抽出」という手段が目的になっているということ。

さて、話を戻して抽出した問題点をリストにして掲示するまでは良かったが、どのテーマを先に取り組むのか、優先順位のグループ分けは、改善活動全体を見て難しいところ。この絞り込みと重み付けが改善活動のパワーをどこに、どのように集中するのかが指揮者として腕の見せどころとなる。

ここで、工場管理者として狙ってほしいのはメンバーみんなの思っていることを一旦吐き出してもらって、共有し、その後に部門として、優先順位をグループ分けして進めること。メンバー各人にはそれぞれの「認識の差」があるもの。感じ方も違う。一旦、検討対象という土俵に載せた後に、誰かが決めなければならないという段階で、たとえ強引でも優先順位を決めれば比較的進めやすい。この手順を踏まないといつまでも自分の個人的な見解を持ち続けていて全体のパワーが落ちてしまうこととなる。

この動き方は、工場の改善だけではなく事務所や営業所の中でも応用できそうなやり方と考える。

事例（2）ルール通りにやっていても出てくる問題を「問題点置場」へ

生産現場の中でよく見かけるのが、「チョイ置き」。これを一概にロケ（ロケーション、置場）からはみ出ていることに対して「枠の外にモノを置くな！」とか、「ルールよりも高く積み上げるな！」といった指摘、指導をしても反撥ばかり。あるいは、その場は叱られて直すだけで、不満がいっぱい。また再発するのが常となる。

思い切って、1パレット分の床スペースを確保し「問題点置場」と明示した専用パレットを置いておく。場所は、できるだけ問題が発生しやすいところやメイン通路に面した目立つところが適当。ここで大切なポイントは、上司が自分の言葉で「ルール通りやっていても収まらないモノ、置場に困ったモノは、ここに置いて良い！ 後は自分が対応する」と宣言すること。作業員は迷わずに、この専用置場にモノを置いてくれるはず。少しやっていくと「何なのか、なぜなのか」などのメモを残してくれるようになる。このメモは、上司が動きやすいようにしてくれるありがたい親切となる。こんな時には、その人の作業場に直行してお礼を伝え、対応を約束することでこの「しくみ」が定着していくもの。

問題点置場は、いろんな会社、工場でやってきたが現実的な救い（一時しのぎ）になったり、ルールが守られるだけでなく見えなかった問題点を誘い出し、目立たせることにも有効だった。言い換えれば、問題発見の「ワナ」。同時に、たとえ細かいルールでも決めたことはキッチリ守り切ることを徹底するためにも大切なやり方、習慣付けとなった。自分達で決めたルールを守り切ることにとっては、「言い訳を言わさない」「No Excuse」となる。

この問題点置場を、日々巡回する工場管理者、経営者がじっくり見て、置いた人に聴いて反応してあげることが最も大切となる。工場勤務の経験が少ない人には、手っ取り早い手段となる。「速攻の反応」が改善の良きスタートとなるはず。

真面目な作業員にとっては、ルールを守りながら、忙しさの中でも無言で現場の悲鳴や不満を訴えることができるツールとなる。

事例（3）――ダンプラで「通い箱の直置き」を防ぐ

前の事例に似た話で、置場に困った通い箱がロケーション近くの床に直置《じか》き（工場の床面に直接、モノを置く）されていることがあり、会社、工場が変わるたびに最初からしつこく言っている。この点を厳しく徹底するために自分として、妥協案を使っている。

まずは、なぜ「直置き」がダメなのかを自分の言葉でしっかりと話し、伝えることが第1のステップ。ただ単に「ルールだから、守れ！」では不足。普通の工場では土足の靴を履き、安全靴を履いている。その床には、少なからずゴミや埃、切り粉・切りくずがあり作業靴の底が床に落ちたゴミをいたるところへ運んでいるもの。その床に通い箱を直接置くということは、通い箱の底面外側にゴミなどが容易に付着する。いつかどこかでその通い箱は、積み重ねられてゴミの付いた通い箱はキレイな製品や部品が入った通い箱の上に重ねられることとなり、容易にゴミが下に落ちることはわかりやすいこと。

さあ、話を戻して……ではどうするか？　逃げ道の準備がポイント。工場内にたくさんの問題点置場が設定できないケースもあるので、臨時のシートを準備する。これは、ダンプラ（プラスチック製の段ボール状のシート）を適当な大きさに小さく切ってロケーション近くのちょっとした隙間に立てかけて置くというやり方。ロケーションからあふれた通い箱は、暫定的にこのダンプラシートを敷いて「直置き」を回避しながら床面に置かれる。これも、予め約束をしておいてこの「チョイ置き」が問題点の打ち上げになるようにしておく。

肝心なのは、上に立つ者が素早く反応してあげること。これをサボると現場管理が難しくなるので、ここが工場管理者、経営者の頑張りどころとなる。

事例（4）――「さらけ出す」時の注意、否定的な表現は避ける

問題点をさらけ出す時に気を付けたいのが、部下の人達が上司から叱責されるのを避けたい気持ち、お咎《とが》めを受けないようにしたいと思っていることをわかってあげること。これは普段からの工場管理者・経営者と一般従業員との関係作りが大きく影響する。ただ、どのように良い関係であったとしても一般的には部下の立場の弱さは変わらないので、相応の配慮が必要となる。そこで、上司側の工夫が必要。

ポイントは、否定的な表現をできるだけ避けること。前の事例では、「通路にモノを置くな！」とか「通い箱を直置きするな！」と言ってしまいそうな場面。置場がない場合にはこうしなさい、ここに置きなさい……という言い方にしたいところ。肯定的な言い方によって、受ける人をスムーズに誘導することができる。

コラム　「肯定的なアドバイス」が効く！

「肯定的なアドバイスvs.否定的な指示」の事例があります。

1970年頃の富山での体験です。小さい頃からの親友が当時富山にいまして、訪ねていきました。富山駅前に狭い袋小路の赤提灯飲み屋街があり、二人で久しぶりの飲み会をハシゴでやっていました。飲みすぎのため、用足ししたくなり個々の店には設備がありませんので、近くの空き地横の塀に受けてもらいました。既に多くの客人に使われたようで変色していました。……ここでは、学生時代の自分勝手な行動と反省しております。次の店に行っても同様なニーズがあり、前と同様に酔っ払いが探しましたところ、適当な場所近くに「用足ししたい者は左に10m、右に曲がれば共同トイレ有」と書かれた看板があり、それに素直に従った次第です。

駅のホームにも、「○○に喫煙コーナーがあります」という表示、アナウンスを聞いた覚えがあります。さらに、素晴らしい例が警視庁の「DJポリス」さんです。2013年6月3日の東京・渋谷でのことです。サッカーワールドカップの最終予選で本大会出場を決めた時だったと思います。断片的ですが覚えているのは……

①「通行妨害しては、イエローカードですよ。2枚目が出る前に歩道に上がってください」

②「お互い気持ち良く、今日という日をお祝いできるように、ルールとマナーを守りましょう」

③「少しずつ、少しずつ駅の方向に移動してください。日本代表のように固く華麗なディフェンスのように統率のとれた動きで少しずつ移動してください」

④「さあ皆さん、手を挙げて横断歩道を渡れますか?!」……「ハーイ!!」

名言だと思います。この姿勢、工夫を学び取りたいものです。

コラム　工場内の安全関連ビラでの工夫

工場内の安全対策も同様で、一旦ケガ、災害が発生すると即時に「◇◇するな！」の表示がなされることとなります。

確かに、同類のケガ・災害が再発しないようにするための最低限のアクションです。ただ、工場管理者の腹の中に少しだけは、「２度と起きないように注意喚起、指示は出した」という近未来に向けた責任回避の心が否定したいが、どこかには存在するものです。ここで、上位者しかできない「工夫」が期待されます。

ケガ・災害の一義的な直接原因は、かなり短時間で見つけ出すことができることが多いものです。その結果を受けて、前述のように原因となった行動をしない、禁止することで再発を防ぐのが有効と思われます。

ここで考えたいのが、過去にも同じようなことがなかったのか？　その時どうしたのか？　効き目はあったたか？　なぜまた起きたのか？……と考えて以前の対策を謙虚に振り返ると、「守られるルール、指示」の大切さに気づきます。

添付の事例は、

①換気扇に手・指を入れない！……既製品を購入・設置したが付随している安全ネットは、網目が荒くて、無理に指を入れようとすれば入ってしまう。そこで、「咄嗟に指を入れないようにするための注意喚起」程度しかできなかった不満足の事例です。今から考えれば、いろいろな工夫が思い付きます。

②足ペダルスイッチで左右両側からエアシリンダー駆動の製品保持治具が、手持ちの製品を挟む機構において、手を挟まないような動作を指示したいが、表現を少しだけ変えてみたものです。

③作業中の作業員に話しかけたために通常作業手順が乱れて、うっかりミスを発生させてしまった時の対策です。

④段ボールシートを小さく切り取る非定常作業で、段ボール紙を保持していた左手に向かって右手に持ったカッターが突いてしまい切創となってしまいました。

ポイントは、「やるな！　するな！」の禁止指示ではなくて、「じゃ、どうすりゃいいんだ？」にストレートに答えられるひと言の工夫です。

図5　工場の安全ビラ

①既製品購入時、業者推奨の表示
②「挟むな」から少し変えた
③「話しかけるな!」から変更
④カッターを持たない手を保護する

5 黙っていないで、何かの反応をする

出てきた問題点、見えるようになってきた問題点に早めに反応することが次の仕事となる。

(1) 聴く姿勢について

まずは問題点を打ち明けてくれた人にタイミングを見計らって話を聴くこと。このタイミングは、何をさておいてもとか相手が作業中の時とかは避けながらも、できるだけ早くすることが肝要。1日も遅れてしまったら、マイナス効果もあり得る。また、聴き方も「尋問スタイル」にならない配慮に気を付けたい。自分(上司)が見つけることができなかったこと、自分が見抜けなかった問題を教えてくれたという感謝の姿勢で臨むことが大切となる。一般の作業員から工場管理者・経営者を見る目は、自分の気持ちとは大きく違うもので、上司の自分は普通に話しているつもりでも相手にとっては問い質されている、尋問されているようなものとなってしまうのが普通。普段のお互いの人間関係から、とかく楽なほうに流れがちな場面であることの認識が肝要。ここでの一工夫がポイントとなることが多いもの。

扱っていることが、雑談ではなく職場での安全、品質、生産進捗、生産性などの問題点であり当事者の作業員としては、上司から自分の責任を問われる心配もするものであるはず。正しく、真実の情報を得ようとするならば相手が口を閉ざし、貝が殻を閉じてしまうような状態は避けたいところ。

(2) 情報量の差

もう1つ直接作業をしている人に聴く大切さを考えるポイントは、日々の生産の中で「モノ、作業」を見ている時間の圧倒的な差である。とかく、工場管理者・経営者は長年にわたって経験し見てきた量と現在の部下との差を比べて自分のほうが、たくさん見てきた、また、よく知っていると思いがちだ。しかし、昨日・今日のモノづくりをよく知っているのは違う。

「5/1000（管理・監督者）VS. 1000/1000（作業員）」ということを、しばしば言ってきた。このことは、生産工場だけではなくて事務・技術部門や営業部門でも似たことが言えるように思う。

管理・監督者はそれぞれの工程、作業内容について全て見えているわけではなく、時々の現場巡回などで1日に1000個生産する工程で、5個くらいしか見えていないと思ったほうが良く、これに対して作業員は1000個全てを見て、触ってさらには何かを感じ、気づきを持っている。

問題点として、紙に表されないこと、聞こえてこないことの「生の声」を聞き出す大きなチャンス。工場以外でも応用いただけるはず。


この場面でさらに今まで見えなかった事実を掴むことができて、その事実と自分の過去の経験、知識や広い視野、将来リスクをミックスさせて話をすると、その中からまた新しい事実、問題点、要因、変化点が浮かび上がってくるもの。

(3) 反応するタイミング……「生の声には賞味期限がある」

ここで、1つの失敗談を披露する。

エアコン組付け工程でのトヨタ自主研活動での「現場指導」での出来事。前にも話したが、ラジエータ時代にはやや遠くから参画していた自主研では真剣さに反省点が大いにあり、今度は真剣にしっかりやろうと心に決めた時であった。そこで、「決めた事をキチンと守る」「しくみを活用して改善を続ける」だけでなく自分なりに「全員の参画を引き出して、定着させる」ことを狙った。毎月の自主研・現場指導時には、やや自信を持って説明したのが、「付箋紙を使った提案活動」。これは現場で気づいた問題点、疑問、気づき、不満、提案……などを何でも付箋紙（75㎜×25㎜）に書いて、拡大コピーした職場のレイアウト図に貼り付けてもらい、これを起点に改善を進めている……という活動。

どの工程でも何かと厳しい指摘、指導ばかり受けていたので、「少しは挽回」のつもりだった。現場指導時に指導トップに言われた第1声は、「加古さん、いいけどなあ『生の声には賞味期限がある』ぞ！」。続けて、ある気づきの付箋紙を指差されて、「この気づきはいつ出され、あなたがいつ手を打ったのか？」。この時は場当たり的な「先週見て、今週始めに手を打ちました」と答えたものの、大勢の前で大恥であった。後で、確認してみると出てきた問題点が改善計画表に転記されるはずが、漏れていたものもあった。意見が出てきたもののいい案が見つからずに保留となっていた。これらは、管理者側の理屈で、出した人にとっては「出せ、出せ！」と言われたので出したが、どうなったのかわからず不満が残っていた。

「レスポンスがないと、本音は2度と出てこない」と肝に銘じた事件だった。メンバーに対して申し訳ないと思ったとともに改善を続けていくための重要なポイントを学べた機会だった。

（4）反応を定常化したい……「おせっかい」＋「言い訳」ボード

先程の失敗事例の後、職場が変わって熱交換器・コンプレッサの製造工程では「安全、品質、生産性別の色分け」をした付箋紙に記入日、名前（イニシャル）を書いてもらったりと進化させた。しかし、ナンバリングして改善計画表と関連付けたり、保留案件に対するコメントの明示まではできなかった。

反応することの大切さを身に染みて感じた後の職場だったので、この場面での職場異動は「リセットのチャンス」と前向きに捉えることができた。手がけたのが、「おせっかい」＋「言い訳」ボード。

ここで、「おせっかい」が出てきたのは別の事件が発端となっていた。

小型エアコンの補給品組付けでの失敗談。補給品生産とは、旧モデル品を少量・単発で受注し供給すること。

ある日の定時後遅くに生産管理担当者が営業経由で「明朝出荷の補給品注文」を受けて、生産部門職制が帰宅後であったため組付けラインの班長に組付け、出荷準備を依頼した。受けた班長は夜勤の中での時間を工面して自ら部品を探し、手直し作業場で組付けを完了、梱包して出荷場まで持ち込んだ。

翌朝、早朝に出荷したが昼過ぎに客先より「納入不良」の連絡。この古い型式のエアコンは、側面がL字アングルでできた筺体《きょうたい》でそのアングル部にΦ8㎜程度の穴が2つあった。納入不良となった製品は、この2つの穴のうちの1つにヒータバルブ操作用のケーブルが通してあったため、この穴を車両との取り付けに使う際に支障が出て不良発見となった。正しくは、ヒータバルブの操作ケーブルは他方の穴に通すこととなっていたのを、誤って組付けたもの。製品図面の確認不足、検査員との相互チェックを怠ってしまったことが原因だった。

当事者間の要因分析、反省ではそれぞれの落ち度が正直に出されたが、なぜなぜ分析の中で生産管理担当者が急な依頼を現場経験の長い職場の先輩に頼んだ際、「図面はありますよね」とか「検査は別の人にやってもらってくださいね」と言えなかったことやこのようなケースではありがちな「頼んでいて先輩に対して言いにくい」という風土であったことを関係者で共有した。もっと遠慮なくお互いに「おせっかいを言い合おう」と毎月の品質講話（直近に不具合事例をネタにして部長が生産現場職制と関連部門スタッフに伝える機会）の中で頼んだわけである。

そんなわけで、部全体で申し合わせて「おせっかい」を言いやすい状況作り、聞きやすい環境作りをした。これが、「おせっかい」+「言い訳」ボードで、品質問題とは違って少しハードルの低い現場改善活動の中で、気づいたこと、思っていることを気軽に付箋紙に書いてもらって貼り付ける（敢えて誰かに説明する必要はなく、自分の都合のいい時にできるという気軽さを狙った）。大きな模造紙の半分にこの「おせっかい」を貼り付けると、関係する人、関心のある人誰でもが「言い訳」を付箋紙に書いて反対側の半分に貼り付ける。この時は、関係者が意図をよくわかってもらって1、2年間くらいは続いた。

出てきた問題点に対して素早く反応し、何らかの動きをする習慣の大切さを工場管理者、関係者で身をもって共有できた。今になって思い起こしてみると、反応を定常化するための工夫、努力の大切さを再認識する次第。またやり方についても、もっといろんな方法があったと思うし、今の時代に合ったやり方も新たにできるのでは、と思い巡らしたものだ。

6　1つひとつ現象を分類し、要因を探り、分析する

このステップからは、前項までの現場改善、生産性向上主体の取り組みに加えて品質問題対応から品質改善に繋げていく活動を視野に入れた話を進めていく。

工場内の改善ニーズに向けた問題点の発見や品質問題での不具合に直結しそうな問題点確認の直後は、即時対応、緊急改善に大きなエネルギーが投入される。また改善意欲も問題点発見と同時に大いに盛り上がるもの。品質問題について継続した不良発生の停止に対する即時の処置が必要なことは言うまでもない。「大至急の処置」の後には、急ぎながらも冷静さを取り戻して視野を広げた現状観察・把握、要因分析が必要となる。

数多くの納入不良対応での失敗体験から、初動時の「ひと呼吸入れた」視野・視点での自己チェックが大切であると痛感している。始めの現状把握段階で重要な事実確認を見逃したために、後になって調査、対応で苦戦したことが数多くある。

まずは、問題のあった工程での対象物、その部品、材料、さらには共通部品を使っている機種、類似品に視野を広げた現状確認がスタートとなる。それぞれのケースでいろいろな視点が考えられるが、

① 作業状況が決めたルール通りにやられているかどうか?
② 「5M1E」[※1]の変化点チェック。

現場監督者は責任感を持って行動をし始め、即物的となる傾向が強いもの。上に立つ

※1　5M1E：人、設備・機械、材料、方法、測定、環境

者としては自分自身の活躍分野を考え実行し始めることや、全体が手遅れ、見逃しのないような配慮、行動を他の部下に指示することも大切となる。

①作業が決められたルール通りにやられているか？

何度もやっていると、抜け落ちを防ぐために自前のチェックシートができ、使い続けている。「問題点の真因究明なぜなぜチェックシート」、これには、ルールの有無をスタートに「ルールがない」場合には「必要と考えていなかったのか？　必要だが作成していなかったのか？」からさらに掘り下げる想定される要因を書き並べてある。

また、「ルールがある」場合には「知っていたのか？　知らなかったのか？」に始まり「教えたのか？　教えなかったのか？」や「守っていたか？　守っていなかったか？」から深掘りしていく想定要因が書き出してあって、その場の状況を表現するのには便利なツール。初動時に要求されるスピーディさが対策仕事の進捗にも貢献する。

ここまでの作業を1時間程度で終えれば、問題対応のイメージが見えてくる。

ただし、注意したいのは前にも書いたように「犯人捜し」のような質問、行動、さらには尋問とならないような配慮と工夫が必要で、これを怠ると事実が曲げて伝わってしまうリスクがある。再発防止、将来に向けた改善に繋げていくという強い意志を伝えながらの慎重な行動が要求される場面となる。この場面での失敗は、後々に大きく影響してくる。

②　５Ｍ１Ｅの変化点チェック

普段から現場管理のツールとして「変化点ボード」を持っている部署では、変化点ボードの活用で時間短縮できる。ただし、日頃から変化点ボードの「質」をよく見極めておく必要がある。会社によって、工場、部門によって、さらには監督者の１人ひとりによっては異なる。毎日の更新、書き換えがなされていなかったり、変化の気づき方に難があったりするので、どの工程のものなのかを日々の巡回状況を踏まえて活用する必要がある。

7　要因、分析内容を「見える化」して「共有化」する

事実確認、要因探索・分析は、ある程度責任者、専門スタッフがいる場合は進めてくれると思う。ここで大切なことは、遅くならないタイミングで今までにわかったことを「見える化」して関係者で共有すること。その結果、さらに追加の情報も入手することができる。人間の記憶量は、時間の経過とともに急激に低下していく。エビングハウス

図６　エビングハウスの忘却曲線　１日後には2/3を忘れる

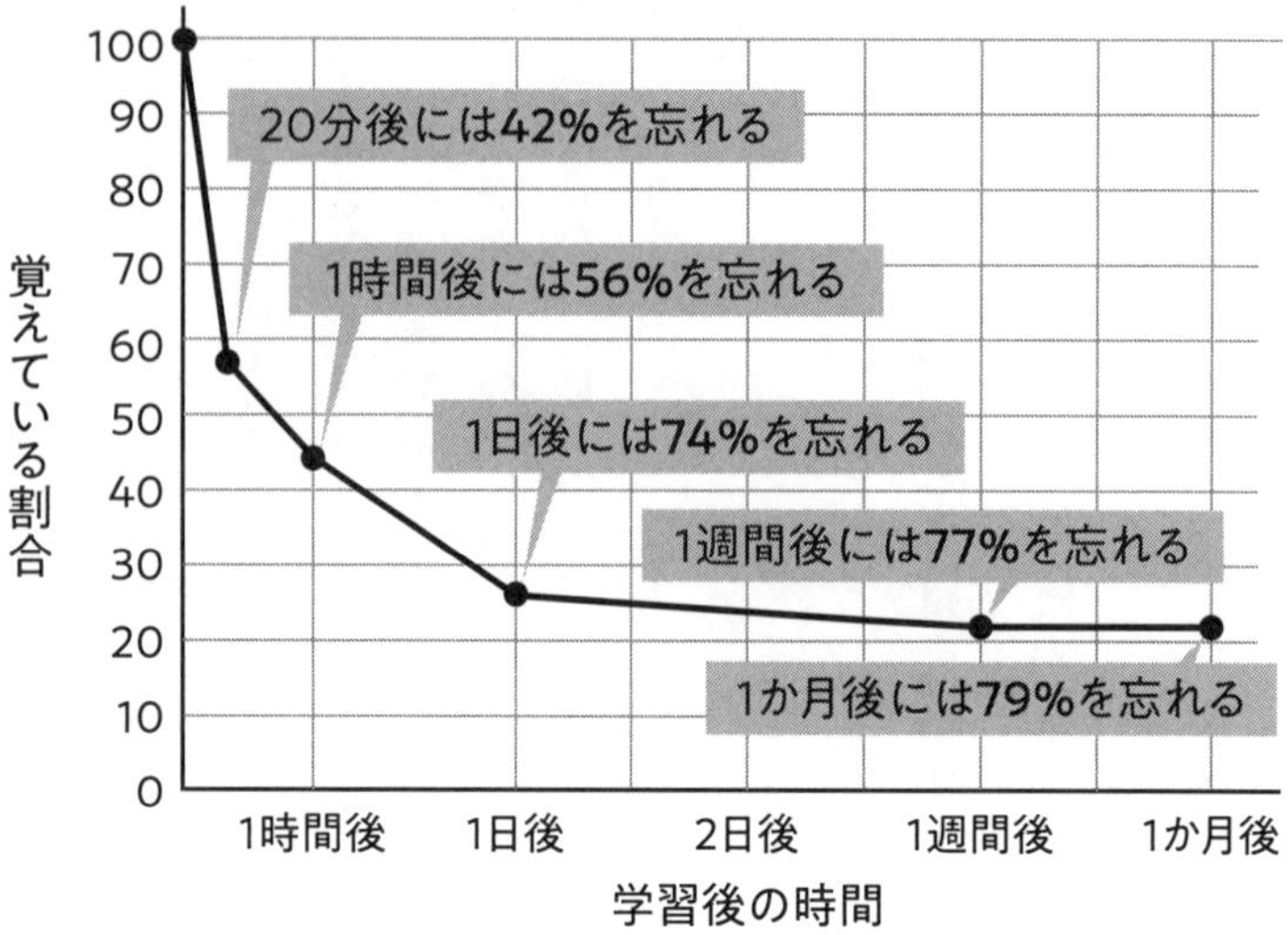

出典：『記憶について一実験心理学への貢献』（著者=Herman Ebbinghaus、訳=宇津木保、誠信書房、1978年）より作成

の忘却曲線によれば、１時間後には56％を忘れ、１日後には74％、……となり１週間後に残っている記憶は23％になってしまうといわれている。また、人間は知りたくないことは聞こえないし、都合の悪いことは早く忘れるもの。時間勝負の場面となる。

「見える化」にもこだわりがある。昨今では、何でもＰＣを使って活字化する傾向が見受けられる。確かに「手書き」と比べて活字は「正確で読みやすく、さらには作成しやすい」というメリットもある。しかしながら、受け取る人、読む人の心の中を考えてみることも大切と思う。活字になっていると……「もう既に確定している」ような様子だったり、現場からスタッフ仕事に対して「聞き取った後に机に戻ってＰＣで書き直す作業の余裕がある」とも受け取られる。与えられた作業、仕事を休みなく連続してやってくれる現場作業員の気持ち、心の中を考えてあげてほしいものだ。この段階で狙っていることは、「正しく正確に伝える」ことよりも職場の仲間として共に問題点を捉えて再発防止を一緒にやっていこうという姿勢。敢えて、「手書き」を使う場面もあるかもしれない。また、期待する真実も出てこなくなる心配もしておきたいもの。

見えてきたものを、掲示板、伝言板等に貼り出す場合は、傍に付箋紙や筆記具等を置いておくことも、協力を受ける手助けとなる。共有することにより、責任者、管理者の限られた経験、知識に加えて関係者に類似したトラブルを思い出してもらうことで、新しい「気づき」が出てくるもの。これを、素早く、漏れなく掬《すく》い取る努力と工夫が必要となる。

この共有化のステップは、その後に続く暫定対策、恒久対策などの活動に対する理解、納得、「腹落ち」を大いに助けるものとなる。

8 「なぜなぜ分析」での工夫、VTA分析手法からの学び（失敗学会）

なぜなぜ分析のやり方は、各社での工夫もたくさんあるし参考となる書物も発行されている。自分自身も会社が変わるたび、生産形態が変わるたび、国が変わる都度、また対象業種が変化した時にやり方、パターンを変化させてきた。営業・販売での受注業務におけるミスの再発防止にはモノづくりとは異なったやり方が必要だった。

そのような中で、自分自身の失敗体験から得られているポイントは、

①形、体裁を整えることを考えていた初期の頃

②強引に「5段階のWhy?」を繰り返して、自己満足

③ある程度の経験で、予測していた真因らしいポイントに到達したので、周辺の分析を添えておいた程度

であって、大抵は客先から厳しい指摘、指導を受けることとなった。

本当に真因を突き止める場面は、ケースバイケースであって同じような体裁となることは少なく、内容もどれほど深く掘り下げられ、真因に辿り着けたのかは、毎回心配になるもの。合わせて、付随する体質面、風土面での弱点に気づけているのかどうかが大切で、このなぜなぜ分析の効果、成果を左右する。

なぜなぜ分析の中での工夫ポイントは……

①確認した事実に対して、「なぜ？（Ｗｈｙ？）」を「Ｗｈｙ－１」として書き出して、その後にその「Ｗｈｙ－１」が起これば、前の事実が必ず発生するのかどうかを自己チェックし、「逆もまた真なり」を確かめる必要がある。同じように「Ｗｈｙ－２」があれば、必ず「Ｗｈｙ－１」が発生する……と言えるかどうか？

②「なぜ（Ｗｈｙ？）」を考えると、その答えが1つではなく、2つかそれ以上の場合も出てくる。1つに決め付けることができない状況。これは、まずは書き出しておくことが賢明となる。

③今までに「ルールの不遵守」や誤ったやり方などについて、「いつもそうしていたわけではなく、そういう場合があったかもしれない」といった、やや自己弁護的な記述も時々見る。先輩からは、「○○をやる気がなかった」と書けるか？と迫られ「そんな酷いレベルではないが……」と言い淀んでいた時に、実際に○○をしなかった事実からは逃れられないのだからと考えた。この時には、思い切って「以前から○○をやる気がなかった」と書いてみると、そのまた「なぜ（Ｗｈｙ？）」から気づかなかった要因が見えてくる場合がある。このような謙虚な姿勢で臨むことが将来への再発防止や、体質強化に繋がるはず。他人に見せることを気にかける前に、自分達のために分析することを大切にしたいものだ。

〈ＶＴＡ分析手法からの学び〉

失敗学会・組織行動分科会の「時系列要因分析手法の演練」（講師：石橋 明・分科会長）に参加した時には、ＶＴＡ分析手法（Variation Tree Analysis）を実例に合わせて演習し、今までの「なぜなぜ分析」との比較することができ、多くの「気づき」を得た。

特に、分析を時系列で追うこと、逸脱動作（ノード）の抽出、ノード間の関連付け、排除ノードの決定（このノードがなかったら事故にはならなかった）、及び「ブレイク箇所の決定」（ノード間の関連性を断ち切ったら事故にならなかった）は、従来多くの可能性のある要因を列挙して、少しでも関連する要因系の再発防止をやってきた経験と比べて、「効率的、合理的な絞り込み方法」としては、大いに参考となる。

さらに、従来工場内での品質問題対策の中でキチンと実行され続けられない理由が、「この対策をやって何が、どのくらい効くのか？」といった後世の人達からの疑問に対する答えのようにも思えた。たくさんの対策を並べて、これくらいやれば撲滅できるだろう、と考えていたものの後世まで納得され続けられない場合は消えてしまう。それに比べて、ＶＴＡ分析手法の「排除ノード」「ブレイク箇所の決定」は、非常にわかりやすいアプローチであった。しかし、製造業への展開はそれ程進まなかった。

9　思い切った目標設定と「専任化」（慢性の工程内不良対策）

慢性的な工程内不良、手直し不良がなかなか減少しないということをたくさん経験してきた。また、極少量の不良のために検査工程を増やしたり、不良全滅により追加検査を全廃できた、ということもやってきた。

（事例）熱交換器の2次漏れ検査の廃止

オールアルミ製の熱交換器製造工程は、チューブ、フィン、プレートなどの部品加工、チューブとフィンを積層したコアとしての組み立て、炉中ろう付、漏れ検査、その他部品の取り付け、内部漏れ検査、2次漏れ検査、製品検査、梱包となる。

製品構造は、設計改良により「後組付け」を極力なくして「一体ろう付」できるようになってきた。したがって、2次漏れ検査の漏れ不良率は、1%を大きく下回っていた。製品全体の原価低減ニーズもどんどん増す中で、「2次漏れ検査の全廃」を目標にチャレンジすることとした。従来の工程内不良率、手直し率の低減活動は「目標＝半減」とか「狙った不良のゼロ化」であった。「全廃」が目標のため、1つひとつの不良現象を全廃するために、それぞれの不良時の状況を分類して、それぞれの分類された不良パターンごとに要因分析、対策処置を仕かけていくこととなった。

やはり、「半減、◇◇%減」とは異なった取り組みに迫られたため、活動そのものの体制から変える必要があった。幸いにも、経験豊かな人財に恵まれていたことと、比較的大きな製造部だったことで「専任化」ができたことがラッキーだった。また、私がやったことは、「目標の注文」と「専任化」だけ。日々の細かな運営をやってくれたベテラン工場長の本間義満さんに助けてもらったところが大きい。

専任化は、「期間を限定すること（この場合は1年間）」「終了後には必ず元職場に復帰させる約束」が効いた。生産現場で頼りになる人財は往々にしてラインの長となっているケースが多い。ここで、暫く病気で休んだものと周りが割り切って優秀な人間を出してもらった。当人は、朝から晩までこのことだけに集中して取り組むわけで、いろいろなアイデアや要求が出てくる。これらに対して賛同して従ってあげ、支援していくことが大切だった。

従来は、ラインの長に特別プロジェクトのリーダーを兼任してもらって、周りの誰もが認める陣容とすることが多かった。結果は、「専任化」による成功が勝った形となった。中途半端な兼任活動での問題の長期化を打開する一手となったが、あまり多くの事例までは展開できなかった。

10　狙いどころを決めて、1つひとつ「やり切る」

改善活動の中盤で、現状把握、要因調査・分析を進めていくとたくさんの課題が出てくる。一般的には、品質問題対応でよく使われる「パレート図（QC7つ道具の1つ）」的に構成数の多い対象から順番に攻めていくのがオーソドックスとなっている。全体への寄与度合は高い。しかしながら、敢えて薦めたいのが「まず、やりやすい対象」を攻めること、「その現象を、ゼロ（0）にしてしまう」こと。

全体の進捗や継続した活動への定着を考えると効果的となることが多いもの。長期的な慢性不良は、即物的な現場改善だけでは退治することが難しい場合が多く、材料面、設計面での抜本的な手を打つことも必要となる。いつまでも最大不良への重点活動にこだわらず、「まずは、狙った不良をゼロ（0）にする」ことで、関係者の士気が上がることは次の展開も含めると大切だ。また、たとえ全体に対する効果の度合いは小さくても、「やり切る」ことでの達成感は、これまた次に繋がるもの。現実には、「ゼロ化達成宣言」後に1、2個の不良発生もあったが、その時の関係者の総力を上げた集中活動での再度の解明、根絶活動が本当のゼロ化のベースとなった。

活動期間も、あまり無期限にやるのではなく1か月程度に限ってみるのも1つのやり方と今になって思っているところ。メンバーの中には、皆で決めた狙いどころに対して疑心暗鬼の人もいると思う。その人達も同じベクトルに合わせるためには期間を限って、次のチャンスを準備しておくことも有効と考える。

11　確認する。パトロール点検

問題解決についていては、必ず確認が必要となる。それは、3つある。

(1)　結果は?

これは誰でも気になることで、普通ならば従来とは異なった結果観察、モニター、管理間隔がしかれるため敏感に知ることができる。また、その状況を継続した活動に逐次フィードバックして対策を確実なものとしている。

(2)　プロはプロセスが大事!「結果オーライはダメ」

決めた対策が確実に実行されているのかどうか?

誰でも、どの製品でも、いつでもやっているかどうか?……意外にこのポイントが甘くなってしまうもの。特に最前線の作業員はそれぞれの対策の効き目を日々実感しているもの。面倒な追加工程、追加作業をした効果に納得できずに「手抜き」の違反が発生しがちとなる。これは、単純に作業員達がサボっていると責めるだけでなく、対策の妥当性を見直す機会でもある。失敗事例としては、監督者が「自分だけは不良を作らない自信がある」という態度で、皆で決めたルールを（こっそりと）自分だけ守らないことがあった。そのことが、周りの人達に対して間接的に「守らなくていいんだ」「守らなくてもお咎めがないんだ」と伝わってしまった。誰でも「そうだ、楽な方法にしたい」という本性があり、怖いものだった。

納入不良の再発生、類似再発の多くがこのような身内からの弱さ、甘さが原因となっていることが多かった。ただ、再発時の本音の話の中や、なぜなぜ分析の中に「守っていなくても何も言われなかった」とか「守っていない先輩を見たことがある」というフレーズが出てきたら、しめたものだと思って、体質的な弱さに取り組むことができる。また、「ルールを守っていなかった」だから、「再指導した」という対策書は、大抵は怪しいもの。同じ方法で、同じような人が「再度、指導・伝達」しても何も変わらないはず。しばらくは、効果があるみたいだが……。この時には、指導の仕方を反省して、効果のある方法に変更することが必要となる。これらの点は、幾度かの納入不良対策書の説明の中で、客先から指摘されて学んだ失敗体験。

自分の経験では、それでも維持・継続できないケースもあった。その時に使った方法が「品質パトロール」。品質パトロール（点検）として、過去の不良対策が守られているのかどうかを、時々、抜き打ちで見回ること。ここで気を付けたいのが、「違反者の摘発姿勢」となってしまうことを避けること。

点検の中で時々ルールの不遵守を見つけることができる。その時に、大声で叱り付けることがされないだろうか。指摘してその後黙ってしまったり、黙ってメモだけ書いて作業員の上司に通告した場合の結果は容易に想像できる。つまり、パトロールの目的が「ルールの徹底、再指導」ではなくて、パトロール（警察）行為の完遂になってしまっている。

理想的なのは、不遵守を見つけたらまずはパトロール中であることを告げ、ルールを知っているのかどうかの確認が先となる。意外に、新人などにキッチリと指導されていないことがある。また、1度は聞いたがキチンと意味が理解・納得されていなかったというケースもある。このように、多くは作業員当人の「知っているが承知して違反した、という確信犯」は少なくて、上司の伝達不足、日々の点検・指導不足となるケースが大変多いものだ。したがって、安易に叱り付けても跳ね返る先が、管理監督者だったり、自分だったりすることもあり、気を付けたいもの。
また、生産性向上のように問題点を見つけやすくしたしくみを導入した場合は、そのしくみをルール通りに運用しているかどうかだけでなく、出てきた問題点に反応しているのかどうかにも目を配りたいもの。

(3) 指示者と実行者の意識のズレ

もっとも日々同じ職場で働いていても、微妙な「意識のズレ」が次第に大きな誤解や、不信感に繋がる場合がある。以下の「あるある話」は、たくさんの失敗体験の中から思い出しているもの。この中で似たことがあれば正していただき、初耳のことならば「仮想体験」してもらって、将来に備えていただけるものと思う。

指示者：仕事の指示をした後に、確認することができていない本音は……

〈事例〉
- やってくれているに決まっている
- やってくれているはずだ
- いちいち聞いている暇がない

・お互いに忙しくて、聞くチャンスがない
・少なくとも「自分は指示をした」（責任は少ないと思いたい）
・聞くと「信用していない」と思われはしないかと躊躇した

実行者：仕事を受けた後に、報告する、途中で相談することができていない本音は……

〈事例〉
・問題が大きくならなければ、いちいち聞かなくてもいいのではないだろうか
・報告しても何も変わらない、返事もないだろう
・こんなことを聞いたら、「自分のダメさ」をさらけ出してしまう
・こんなことを聞いたら、「それくらいのことは自分で判断できないのか」と思われてしまう
・こんなことを聞いたら、「余計な心配をかけ」たり「余分な追加仕事」を頼まれそう

このように、少し立場を変えて考えてみれば容易に気づく「意識のズレ」は人間としては起こり得るもの。これは、誰しもが完璧人間ではないので、意識して「確認すること」「報告、相談すること」をやりたいと思う。また、気配りの「連絡」も有効。極端

に言えば、確認しないことは、「遠慮ではなくて『手抜き』だ」と思いたい。指示者は、どんどんとしつこく確認すること。実行者は「ハイ、やりました」「ＯＫです」「このように変えて実施しました」と返事をし、指示者の「ありがとう！」の返事もお忘れなきように。

お互いにこのようなコミュニケーションができているのが「当たり前」と思う。コミュニケーションが不足していることや、その兆候があることに違和感を持ち常に当たり前に近付けるように助け合い、補い合うことが大切。特に上司側のそれぞれの状況に合わせた変更や工夫が発揮される場面となる。

12　達成感、改善の楽しさを味わう機会作り

改善活動の途中結果、最終結果などを関係者に見せて達成感を味わってもらい、満足して自信を持ち、改善の楽しさに浸たり次への意欲が出てくるように仕向ける工夫が大切になってくる。

とかく工場管理者、経営者は自分のレベルを基準にしたまとめ方、モノの言い方になりがちなもの。大きな組織になれば、部下の人達が自分の立場を考えて自分のレベルな

りの表現方法を考えてくれる場合があり、使う場所ごとでの使い分けには注意したいものだ。主役は誰だろうか？

一般の従業員、最前線の作業員、スタッフのみんなの「心がどう動いているか？」「心が動き始めているのかどうか？」に関心を持っていただきたいと思う。たとえ、表現方法や飾り方（時にはリボンを付けたりする）に幼稚さがあっても、それぞれの能力の隔たりが大きい生産現場で誰もが納得し、心を動かして行動するようにしていきたいと思う。

改善の進捗状況は、デジタル情報に比べてアナログ情報のほうが圧倒的に優れていると思う。いわゆる、「一目見て、直感的にわかる」ものが必要となる。デジタル情報は、一見正確のようにも見えるが、読み手・受け手が理解する時には頭の中で「引き算、割り算」をやって比較、理解しているもの。こんな手間はかけさせたくないと思う。「デジタル化」として先進的なようにもてはやされて、古臭いやり方（＝アナクロ）をアナログと誤解されて、アナログの良さが忘れられることを心配している（参考：前出のコラム）。

関係者全員、１人でも多くの人が自分達の改善結果を理解し、自信を持つことによって次への照準を絞り、力の結集をしてやる気を持って進むことを願っている。このことが継続した改善活動＝「エンドレス改善」に必要なものと思う。

13　まとめ

自分自身の経験してきた自動車部品産業、季節商品も含めた周辺事業とまったくの異業種である配管部品事業を振り返って基礎段階の基本を考えてみたい。

基礎段階のまとめとしてＴＰＳでの活動で自分なりにまとめた「基本」が、ほぼ平準化された生産だけでなく、集中生産～残存品の売り切りであったり、１個単位の受注生産品や少量生産品でも活用できることがわかる。図７に示す「基本的な考え方」をそれぞれの生産状況に照らして活用していただきたい。

図７　改善の「基本的な考え方」

基本的な考え方

仕事の単位を細かくすることにより、仕事と情報の振れを減らして標準化し、異常と正常、進みと遅れを明確に分け、問題点を見つけやすくすることにより、迅速に改善する体質（クセ）を自立した継続的な活動として定着する

いろいろな方法、手段があるが、どれが適しているのか自らの意志で決める

第4章

応用段階

1　現場に合わせたレベルアップ

基礎的な改善活動は、ベースとなる強固な下地の上に標準となるルールを定め、それをキッチリ守るという前提のもと、見えてくる問題点を1つひとつ改善していくことから始まる。

前章では、見え難かった問題点を見つけやすくし、見えてきた問題点を全員で共有し改善に結び付ける取り組みについて、失敗体験をベースにヒントを述べてきた。この基礎的な取り組みだけでも改善のネタは尽きないということを多く経験してきた。ここからは、改善活動そのものの進化、レベルアップについて書いていく。

全体のイメージは、図8を見ていただきたい。表の解説をする。まず根底となるベースは「2S（整理・整頓）」の徹底、定着。この後で、繰り返し同じような作業をしている中で似たようで、細かく見れば違っているそれぞれの作業に対して「統一した標準」を一旦決めること。この段階では、往々にして指導者や上司から頭ごなしに「標準を決めろ！」と言われて、それほど強く否定したり抵抗できないため指示に従っているケースがたくさんあった。この段階では、少し時間をかけてでも「なぜ標準化が必要なのか？」を関係者の全員が納得し、腹に落とすことが大切となる。長年にわたってTPS、改善活動

図8　現場に合わせたレベルアップ　　省かないことが大切！

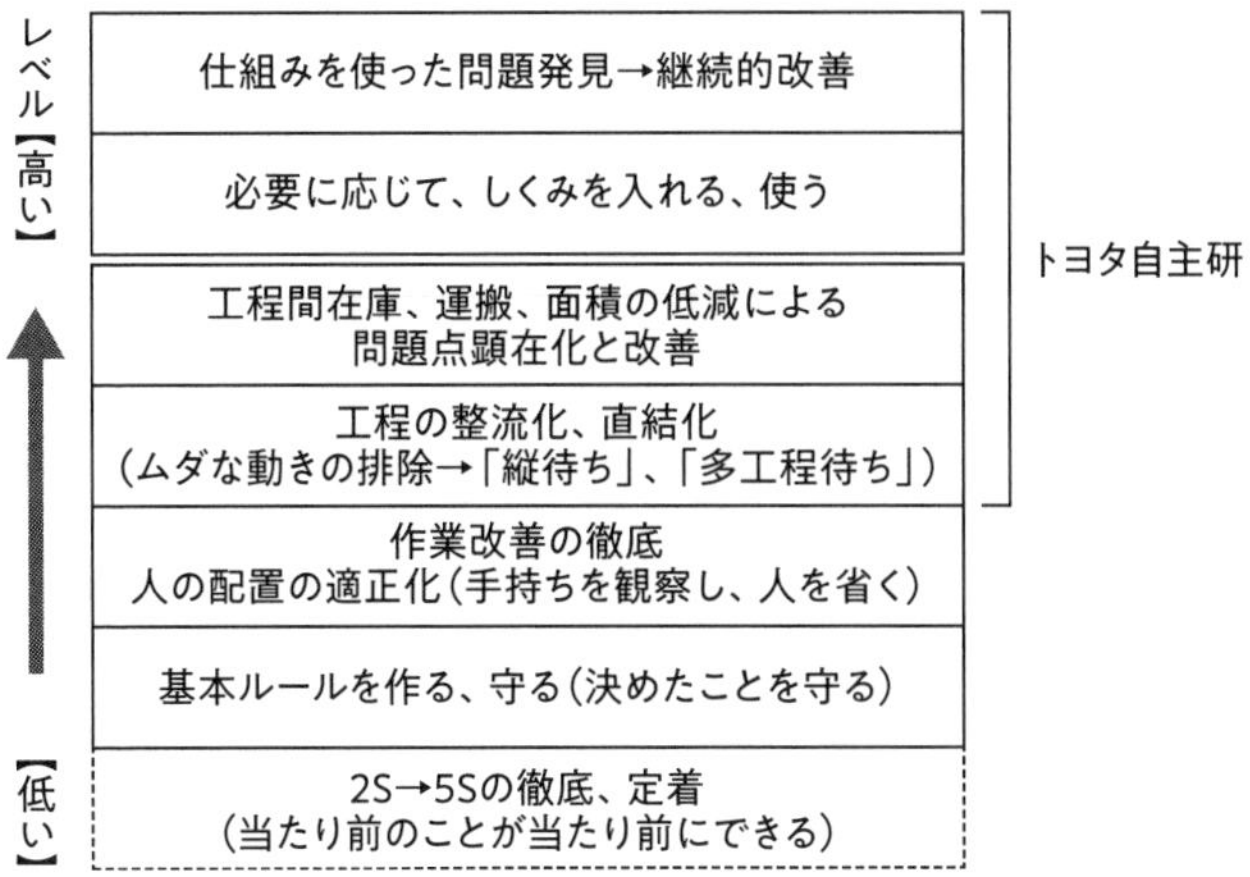
レベル【高い】
【低い】
仕組みを使った問題発見→継続的改善
必要に応じて、しくみを入れる、使う
工程間在庫、運搬、面積の低減による
問題点顕在化と改善
工程の整流化、直結化
（ムダな動きの排除→「縦待ち」、「多工程待ち」）
作業改善の徹底
人の配置の適正化（手持ちを観察し、人を省く）
基本ルールを作る、守る（決めたことを守る）
2S→5Sの徹底、定着
（当たり前のことが当たり前にできる）
トヨタ自主研

が染み付いている工場、会社ならば一瞬で思い出してこの原点に戻ることができる。そうでない多くの現場では、この段階を丁寧にやることが後々のやりやすさに効いてくるものと実感している。「誰かからの指示だから」、とか「原則だから」という話ではなく、自分自身の言葉で、現場に合わせた事例で、相手の理解度合いを見ながら話すことが必要となる。

活動に慣れていない人にとっては、「どうして、いちいち細かいところまで決めるんだ！」という不満が出そうな場面。キッチリ運営されている工場、会社では出てこない不満なのかもしれない。逆に中小・零細企業ではこのようなストレートな不満が出やすく、それへの丁寧な対応をすれば他の改善も含めて、後々の会社の体力強化に大きく貢献する結果をたくさんやってきた。また、働く人の考え方、育ち方が大きく変化してきている昨今では、このような原点の意識合わせがますます必要になってくると実感している。今までモノづくりがキチッと安定してできていた会社でも、働く人達の変化を踏まえた新しい取り組みが必要と考える。

工場、会社によっては、今までやってきたやり方が　相当程度の確率で個人任せになっていると感ずる。

各人が自分にとっては最適だと思い込んでいるやり方が本当に正しいのかはわからないと思う。一旦、何かの根拠で「唯一の作業方法」を標準として仮に決めてしまい、全員がその基準の通りに作業をする。そうすると、1人ひとりから「やりにくい」とか「もっとこうしたほうがいい」と意見が出てくるはず。これをみんなで話して「改訂版のルール」に決め直し、また次をやる。

この繰り返しで、それぞれから出てくる意見が改善のヒントとなってくる。言い換えると、これらの湧き上がってくる「違和感」が、個人単位で考えながらモノづくりし、改善に参画することとなる。

この先、活動のレベルが上がっていっても1つひとつのルールを自分達で決めて、自ら守り、自分達でルールを直していくことが「当たり前の活動」になってほしいもの。

TPS（トヨタ生産方式）を目指して、本やテキストに出ているような「それらしい仕組み」を使うことがモノづくりの進歩になっているとの誤解には、気を付けてほしいという事例も数多く見てきた。

ここで、失敗談。先程の「図8」を生み出した背景。

「岩月さんにド叱られた」事件。

長い間専門的にTPSの推進役として携わってこられた岩月さんが入社され、子会社の1つである仕入先支援・指導を始められることとなった。対象とされた仕入先は私の部が担当している会社であったため、責任者として同行することとなった。月に1回の指導会には、岩月さんの指摘内容、指導内容を横で聞きながら自職場への早期反映を狙っていた。

その意味では、私も指導を受ける立場であり、そのつもりであったが仕入先の方々にとっては「同時に指導を受けている仲間」というよりは、納入先の製造部長でもあり指導者の補佐役のように見られていたようだった。毎月の指導会が4、5回ほど経過した頃、工程連結やムダの排除による改善にある程度のペースができ、効果も出てきた。そこで仕入先のリーダー達から「そろそろ『かんばん』のしくみを入れてみたほうがいいのでは？」という案が出された。それまでの指導会では、活動結果に対する評価も「そこそこ」だったため、私にとってはこの「前向きな提案」を受けて、TPS推進の方向性としては間違っていないと賛成し、前向きに進めている報告を応援し、胸を張ってやってもらった。実は、彼らがたまには評価してもらったり、褒めていただけるかとの期待もあった。

今までの改善状況、先回からの進捗状況と最近の生産状況に加えて次に向けた活動案を推進リーダーが話し始めた時に、大目玉が落ちた。同じ大目玉が、隣に座っている私にも、「加古君、君が付いていて何ということだ！」。「こんなのは、ダメだ！　帰る！」となってしまった。その場をどう繕ったのかは記憶が薄れたが、なんとも後味の悪い日だった。

それから、3日間程考えて……。「何がダメだったんだろう」と自分なりに考え、頭の中を整理して書き出した。役員室にお詫びと、今後の進め方の指導を受けるために手持ちしたものが、133ページの図8。

報告、説明したポイントは、「しくみを入れるのが目的ではなくて、目に見える問題点を1つひとつ改善し続け、あれこれやってもどうしても問題点が見つからない時に初めて対象に適したしくみ、道具を使ってみる。もちろん、しくみを入れて使うことが目的ではなくて、そのしくみを入れた結果新たな問題点を見つけて改善することが狙い。しくみ・道具が合わない時は、変更する。問題点が見えてくるのかどうかがポイント。

この時には、岩月さんは確か、ニヤッとされてその場は終わった。席に帰った後に、さらなる大目玉がなかったことにやっと気が付いた。それ以降は、間接的ながらある程度は認めていただけたものと勝手に思って、自分の指針に使い続けている。

岩月伸郎さん（元・㈱デンソー副社長）には、大感謝の失敗体験だった。「分相応の取り組み」と「手段が目的化しないように」が身をもって体得したことだった。

2　現場に身を置く前に、自分自身の脇を締める

さて、基礎的な改善がある程度進んできたところから工場管理者、経営者の出番が増えてくる。合わせて、現場で活動する前に今一度自分自身の「当たり前」を確認し、不満足の場合は磨き直すことが大切となるタイミング。

現場での活動には相手がたくさんいる。大抵は自分の部下であったり、後輩であったりと指導を受ける立場の人達となる。その人達があなたに言っていること、指摘していることやアドバイスに対して「なるほど、この人の言う通りだな、やってみよう！」と

思い、行動を開始しそうになっているかどうかをよく見抜くことが大切。

普段からの「当たり前」の実践については、周りの人達はよーく見ているもの。1つでも自分の弱点を部下に握られたら強く言えないものと覚悟して、自分自身を律することが基本。役柄上、部下の人達は反論できない状況であり、上司の命令に従わねばならない立場。もちろん上司側としても、時によっては全員が賛同しない決定事項を伝えて全体最適、将来のためということで押し切ることも必要となる。したがって、部下は無理を言い続ける上司の揚げ足取りに、気を回しがちになることをたくさん見てきた。ここで弱点を見せて足を掬《すく》われないという脇を締める「ひと頑張り」が必要となる。

普段から、少しでも自分の当たり前と異なったり、ズレている時に感じた違和感を大切にしたいもの。そして、忘れないようにポケットの中のメモ帳に問題点や違和感を書き留めておけば、いろいろと使い道がある。

単純に、こちらが言ったことに対して「わかりました」と返事するだけの時は要注意、という経験をたくさんしてきた。意図がうまく伝わっていないことへの質問や、実際に実行する段階での不安に思っていることとの質問が出てくればしめたもの。前にも書いたが、「わかった?」と聞いても、「ハイ」だけの時が多いもの。聴き方を「わからないところは?」とか「実際にやり始める時は、どれからやるつもり?」などの確認、質問の仕方にも工夫が大切となる。

3　現場に立ってみる

(1) まず、対象工程の周辺を観察してみる

まずは基本的な5Sレベルのこと、整理・整頓については始めに書いた。床面、製品等の物の上面の埃、ゴミがないことは当たり前だが、時々はゴミを見つけることがある。「ないはず!」と突っぱねることは容易に言えるが、現実の現場での行動をキッチリできるのかどうかは、人によって大きな差が出てくるもの。人による差の影響は、小さくないと思う。

① ゴミを見たら、「速攻」

率先垂範で、自分でそのゴミを拾ってゴミ箱に入れる。これでおしまい。周りの部下達にいちいち文句を言いたいかもしれないが、まずは自らが動くこと。動けば、周りにいる人はそれとなく、しっかりと見ているもの。周りの人達の姿勢が変わるまでには、少し時間がかかるものだが、我慢の時。逆に、ゴミが落ちていても何もしないのは、

「見て、見ぬ振り、見えない振り」をしているようなもので部下が真似する恰好の見本となってしまうリスクがあると心得るべし。中小・零細企業では、かなりの高い確率でこのような場面に遭遇する。ある程度大きな工場、会社では定期的に床面清掃する担当者がいたり、運搬車の下部にモップが付いて常時清掃しているかもしれない。このような会社では、清掃状態が良くてゴミを見かける機会が少ないため、管理者の訓練機会が少ないという不利さを認識する必要がある。

② ゴミ箱の配置

ゴミ箱の配置についても考えてみたいもの。以前に上司・深谷さんから「工場運営技術」という分野の重要性を教えてもらったことがある。その時は、「休憩時間の取り方は午前と午後で同じように中間で良いのか?」とか「トイレの位置はどこがいいのか?歩いて何分に設計するのか?」など、モノづくりそのものの技術だけでなく工場全体の運営をどんな根拠で考え、決めるのかを話し合い、決めたことがある。

ゴミ箱の配置も、工場、会社によって考えて決めたいもの。誰でも、汚いゴミを手に持って長い間歩いてゴミ箱を探すのはイヤなもの。人間の弱さとして、楽なほうを取ってしまって何もしない場合が出てきそうな場面。「ゴミが落ちているゾ!」と部下を叱り飛ばしても、自分の気が晴れても工場のキレイさは継続できない。

自分達の育ってきた時代とは大きく変わってきている。働いている人達の意識は、どんどん変わってきている。海外では「ゴミをポイ捨てしても、掃除する人がいるから大丈夫、その人達の仕事を取り上げないことも必要」なんて勝手な屁理屈も横行している。今に日本も変わってくるかもしれない。しかし、日本人の強味はまだまだ捨てたものじゃない、と信じている。サッカーワールドカップで試合後に観客席の清掃をして帰る日本代表の応援団、ロッカールームをキレイに掃除してから帰る選手、チームスタッフ。１人ひとりが気づいた時に当たり前を他人に要求する前に自分自身が始める、という小さくても貴重な「動き出し」が全体のレベルを引き上げるものと信じている。

工場のリーダー、管理者、経営者が率先垂範する出番。

③ 掃除道具の置き場所

掃除道具の置き場所にもこだわりがある。

一般的に、日本人は掃除道具を目に付かないところに忍ばせておく習慣があると思う。家庭での状況がそうなっている。工場は、他人に見せるところではなく「モノづくり」の場所なんだから、床が汚れていたらすぐにホウキやモップを手に取ってサッとひと拭きできるのがいいと思う。一部には、工場視察、工場見学に来られるお客様からの目を気にする人もいるかもしれない。工場の目立つ柱にホウキやモップが吊り下げられている姿をどのように受け取られるのか。もしマイナスのコメントがあっても工場運営のポイントからズレた評価は聞き流しておけばいいと思う。静的なキレイさだけでなく、動的な運営状況を観察してもらいたいと思う。

このように対象とする作業現場で、個々の工程を見る前に、その前後工程の状態をある程度見ておく必要がある。それぞれの工程での問題点を見つけ、改善していく際に前後工程とのコンビネーションから出てくる課題がたくさんある経験をしてきた。よくあるケースは、前後工程が地理的に離れていて双方のサイクルタイムが異なり整流化できていなかったりする。このため、取り置きの作業、運搬作業、さらにそれに伴う中間に滞留する物、空の箱、台車等々が発生する。

いつも頭の中で「物と情報の流れ図」（後述）を描いておいて、その中のどの工程の話をしているのか、話には出てこないが影響しそうな他工程は何か？など俯瞰的に見ておく必要がある。

コラム　小さくても大事なルールを習慣付けるには

安全・品質・量・コストの決めごとの中に、徹底したり習慣付けするのに苦労することがあると思います。具体的な事例で紹介します。「工場内の歩行安全」ルールを徹底する話です。

ある時、自社、グループ会社でケアレスミスでの歩行時のケガが散発したことがあり、各社で「歩行安全のルール」を決め直して再徹底することがありました。普段からのヒヤリハット事例でもこのニーズは十分に納得できるものでした。

内容は、「走らない！」「ポケットに手を入れて歩かない！」「階段は手すりを持って！」といったレベルに加えて、「出入口、交差通路では指差呼称！」という、やれていれば良いがなかなか定着できてなかったし、うるさく指導もしていなかったものがありました。各社でやり方が違ってくるところとなります。新たに決め直したルールに書き加えて、「これも今後はしっかりやろう」という方法もあります。この時、守られる、定着することを考えて工場内のメンバーの顔を思い浮かべて考えてみました。世代間ギャップも大きくなってきて、ものの考え方が少しずつ変化してきている状況を考える必要性に気づきました。これは、中規模会社A（２０１０年）と、中小企業B（２０１３年）での経験です。

中規模会社Aでは、会社幹部と工場幹部だけで必要性を話し合い、レベル合わせした後に、部下の誰にも言わずに自分達だけがある日から一斉に始めることにしました。１、２週間後には、かなり多くの従業員が見習って実行し始めてくれました。その後２か月ほどで全体に定着できたという経験です。中間に立つリーダークラスの人達がどのようなアクションをしてくれたのかはわかりませんが、ある程度の時間の中で全員の腹に落とす動きをしてくれたことと思います。

中小企業Bの事例は、トップである私だけで始めたものです。２つに分かれた工場の間に市道があり、時々自動車、自転車が通行します。工場側の両サイドには「一旦停止、左右確認」の立て看板が設置されていました。もちろん、大多数の従業員は一旦止まって、左右を見て渡りますが時々急いでいる時などに左右は見るが一旦停止しない、というレベルでした。自分だけで始めて１か月程度で、半数くらいの人達がやり始めてくれました。大きな力になってくれたのは、中途入社が多い状況だったため前の会社でやっていた人が、思い出して当たり前を再開してくれたことが効き、助けられました。

歩行安全の2つの例を話しましたが、いずれも守らなくてもすぐに大きなトラブルにはならないことですが、決めたこと、必要なことをキッチリ守れるまでの体質にしておくことへのやり方と理解していただきたいと思います。

働いている人達の考え方も時代と共に変わってきています。昭和時代にがむしゃらやってきた我々世代は学校でも、部活動でも、会社でも辛いことでも、あるいは腹に落ちていないことも半ば盲目的にやってきました。周りからの同調圧力を感じていたかもしれません。しかし、今は違います。ただ、「モラルが低い」と人に言う前に1人ひとりが自分で考えて行動できるように、うまく誘導してあげれば日本人でも英国人でもやってくれたという経験がたくさんあります。

ＳＮＳ発達などでお互いのコミュニケーションが圧倒的に少なくなってきている最近では、将来に向けてもう一工夫がいるように思います。自分では、いいアイデアが浮かばないけれども、「非対面の情報伝達スピード」がかなり早くなってきているので、このアドバンテージをうまく活用したいものです。

SNSという道具を活用して素早く伝達し、情報共有できれば、1人ひとりの「心が動く」ことを誘発でき、やがて行動が変わっていくこととなると思います。

（２）　作業そのもの

①　手待《てま》ちは？

作業を１サイクルでも、３サイクルでも見れば容易に「手待ち」がどの程度なのかを見ることができる。特に複数人数で作業分担している場合は、「手待ち」が多く見られる。その程度、毎回のバラツキ、内容などから多くの改善のヒントが得られるので、大いに活用してほしいポイント。

ロット作業の場合は、ある作業を10個連続してやり続け、作業終了品を机上に仮置きし、10個完了した後に近くの通い箱に一気に収納するという状態をよく見かける。ＴＰＳに慣れていない工場では、各作業員任せとなっているケースが多くあるので気を付けたい。

１個の作業が終わったら、その手で通い箱に収納し次のワークを作業前品の通い箱から取り出して、組付け作業をする、というサイクリックな作業のやり方に導きたい。ここで、頭ごなしに「サイクリックな手順に変えろ！」と指示しても、なぜ必要なのかを相手が腹落ちするように話してあげることが大事。トヨタ自主研では、このような基礎的なことは当たり前なので、いちいち説明しなくても、当たり前ができていないことを指摘すれば、すぐ改善され先に進められる。

モノづくりのやり方が大きく異なる中小企業などでは、この場面でしっかりと「納得させること」が大きな役目となる。レベルが低い工場の場合は、正しい理屈だけでなく、相手の人の経験、知識を考えた話し方の工夫が必要であり、指導の難易度が上がる。

一度手に持ったモノを仮置きするムダ、再び掴むムダを話すことが必要。また、収納箱が遠い場合には1回ごとに収納することの面倒さから、この距離を小さくする必要性に気づいてもらうというような、否定的なダメ出しよりも肯定的で改善が進む話をしてあげてほしいもの。

このように、TPSでは当たり前にできているはずの「標準化、平準化、サイクリック化」に取り組む時には、その場・その人に合った説明の仕方、工夫が要る。ここが苦労のしどころだが、力の見せどころでもある。

②作業姿勢は？

作業姿勢は比較的見やすく手を打ちやすいものだが、立ち作業と座り作業ではポイントが異なる。作業状態を体の上から見ていくと、

（a）頭の動きに無理はないか？
（b）肩の入れ方、突っ込み具合は？
（c）手の上下動、体の回転とのバランスは？
（d）体・腰の回転・角度・速さ・曲げ伸ばしは？
（e）膝の曲げ伸ばしは？
（f）足の踏み出し、踏み替えは？

など1回だけは何とか作業できていても何十回、何百回と繰り返した時の問題を予測する。

中小企業では、少量多機種生産が多く作業方法もそれぞれが大きく異なる場合があり、生産順序の傾向も考えながら現場を見る時間帯にも配慮が必要。「朝一《あさいち》巡回」だけでは見逃してしまうこともたくさんある。また、作業安全、品質面では非定常作業にも注意し、定常作業では見られない「つい・うっかりの行動」や反射的な動きにも気を付けたいもの。このような時には各作業員が無意識にやってしまう動作があり、各人のクセや職場に潜んでいる体質・風土面での弱さが出てくる。この点も改善の大きなヒントでもある。

③ 作業のバラツキは？

バラツキはモノづくりの中では、モノそのもののでき栄え、工程能力として数値化されるが、各作業間の隔たりを表す場合もある。作業方法についても同じ作業を繰り返しているはずなのに1つ前とは違う動き、かける時間の差があったりする。

このバラツキに着目して、その要因を探ることにより多くの改善ヒントが得られる経験をたくさんしてきた。バラツキが小さい場合は、作業している当人にも意識がなく違和感も持っていないことが多く、本人からの打ち上げもなく見逃しがちとなる。手軽にスマートフォンなどで動画を撮り比べてみるのも便利で、現状分析が速く進められる。また、ストップウォッチを使った要素作業の時間測定も正確で良いのだが、1～3台の作業を見て、バラツキを見抜く「目の力」を養うことも求められる。

改善としては、まずは大きなバラツキの原因を見極めて対応しバラツキを小さくしていく。次に何らかの変化要素があるとまたバラツキが大きくなる。製品、機種が異なれば変化は明らか。バラツキが小さくなってきたら、敢えてスピードアップしたりしてみると、見えなかった兆しが見え始めてくる。これらが全て、改善のヒントでありスタートとなる。この繰り返しが、管理者だけでなく関係者、作業員も巻き込むことができれば、長続き＝エンドレス活動の基盤となる。

④ 不具合、手直し、不良発生時の行動は？

不具合、手直し、不良はどの工場でも多かれ少なかれ存在する。この時の作業手順がキチンと決まっているか、明文化されているかという点で取り組み方が異なってくる。多くの中小・零細企業ではこのような標準化、明文化が遅れている場合が多い。トップレベル企業による工場視察を受けるとこの点の指摘を多く受け、指摘者の当たり前レベルまで早急に挽回することを迫られる。誰も拒否や否定はできないが、ここで「現在の我が工場の目的・目標は？」を振り返ることが必要。ある程度は指摘に対応したとしても「我が工場の重点指向」を忘れないで手段の目的化に注意したいところ。自分自身もずいぶんとこのような回り道をして、「とにかく言われたことはやっておこう」で終わってしまって、我が道を見つけ直すのに遅れてしまったことがたくさんある。仕入先指導、海外会社などで、当たり前レベルの異なる場面では指導・指摘する立場となったら相手のレベルに合わせた言い方、工夫が大切。

さて、異常が発生した時はその場、その時にすぐ手直ししてしまうケースがある。それぞれで信号が出てこない時への対応を考えておく必要がある。「アンドン」で全てを一旦停止するという「べき論」もあるが、「アンドン」の使い方もその設置の後に、どのように運用するのか、現場全体の意思統一などをしっかり行い、問題発見、伝達という「道具、手段」であることを認識すべき。以前から「アンドン」を使い続けている職場では、「問題点を見つけて改善に活かしている」かどうかを、時々自己チェックする必要がある。

ここらあたりが、一般に多く刊行されている「成功体験・べき論」ベースのＨｏｗｔｏ本とは異なるところ。それぞれの当事者は悩みながら日々の生産をこなしつつ、改善をしたい願望が強い。「改善のための道具」について基本姿勢、エッセンスはキープし、良いところは大いに真似をし、後は各社、各工場なりに自分の責任で味付けしていく、ということが大切。

不具合等の発生は、対象となるモノだけでなく発生時の現場周辺、工程への影響を考える必要がある。特に品質面では、不具合発生のため作業が一旦止まった後、リスタート時での付随トラブルの芽を摘み取りたいもの。途中で一時的に止まった工程や手順をサイクル作業の始めまで戻すことが重要。そして作業手順通りに確認しながら再開するという基本が大切。これは、大変多くの失敗体験からの予防策が元となっている。このようなリスタート時の付随トラブルが運良くなかった現場では、是非とも仮想体験してもらって「備え」をしていただきたいもの。

流れ作業等で多くの工程、手順を複数の人が分担している場合がある。不具合とまではならなくても、次のワークが前工程から通常よりも早く迫ってくる場合がある。決められた限度を超える時には、ラインストップにするルールが多くで決められている。このルールがキチンと守られているか?も問題発見の着眼点となる。作業が遅れてくる場合には、通常とは作業向き、作業位置が微妙にズレてくるもの。ここを補佐員がサポートする場合があるが、作業分担の変更は都度当事者間でやられることが多く、チェックポイントとなる。

このように、生産工程での異常対応の確認、見直しは、さらなる品質問題の防止に加えて、生産性向上に向けた改善のへの絶好のスタートとなる。

⑤両手が動いているか?

作業にかかわった手だけでなく、もう一方の手の動きを見ることが新たな改善のスタートになる。

一般的には、利き手で主作業をして反対の手でモノを持ったり、支えたりすることが多い。作業によっては、支えている手の指をそれぞれ使い分けて補助的な動きを加えたり、利き手と反対方向に動かすことでスピードアップしていることもある。工具を使う場合は、利き手で工具を操作しながら反対側の手で小ネジなどの部品を取ったり、向きを変えたりする。

また、モノを固定する目的で押さえたりスパナ等で回転させる場合にスカを喰わないようにモノと道具の姿勢・位置を補助する場合もある。時々、反対側の手が何もしていないことを見ることができるはず、改善のチャンス。

作業安全の面では、鋭い先端のあるナイフなどで操作側と反対の手、指の位置がケガの原因になることが多い。反対側の手の位置を制御してしまう事例があった。

㈱福井製作所（代表取締役社長・福井洋さん）で学んだ好事例。

舶用を含めた安全弁のトップメーカーである福井さんの現場での体験は……旋盤、マシニングセンタ等の工作機械による加工エリアを歩いていた時に、各設備に付属した「切粉、切り屑トレー」があって、切粉等は定期的に運搬台車に載せ替えられる。これは、それぞれの機械のオペレータが担当している手作業。

そのトレーの上端に100円均一品のようなプラスチックケースがあり、その中にニッパが収納されていた。各設備にそれぞれ1つのケースがあり、ニッパはそれぞれに必ず2個入っている。何も知らない私は、そのわけが知りたくて同行していただいた横田取締役や、現場の方に尋ねた。その場で明解に答えていただいた「2個のニッパの理由」は、ニッパで掴んで切粉を運搬台車に移し替える時、切り粉同士が絡まってうまく切り離せない時などに利き手の反対側の手を出してしまいそうになる。これを防ぐために反対側の手にもニッパを持つように決まっているとのこと。どんなヒヤリハットがあったのかはわからないが、素晴らしいアイデアに大感謝で自社に戻って真似したくなる改善だった。

⑥ 視線はどこに向いているか?

作業をしている時に目がどこを見ているのかということが意外に大事であると思う。加工前後のモノを触ると同時に目視でチェックすることが多くある。どの部分をどういう判断基準で見るのか、検査要領やマニュアルがあればその通りになされる。しかし、基準がない場合は、その都度先輩、上司に聞いたり個人任せとなっているのが現実。

モノに添付されている指示書、伝票、メモなどの文字を読み取る時にはどんな動作をしているだろうか?「見てる」か「読み取っている」かの違いもあるが、指を当て声を出している場合もあるが一瞬で見たのか読んだのかわからない程の短時間、速さもある。品質面では、後々改善の対象となってくるポイント。作業の熟練度が増してくると、視線がモノに向いていなくても組付けできてしまったり、品番、品名などは覚えていることが多い。また、我々管理者の動きが、作業員の目線の動きを妨害してしまったという失敗経験もある。

エアコン部品を漏れ検査する工程で、10個単位で作業していた。製品に付属しているゴム製のキャップの欠品防止対策として、漏れ検査を終了して通い箱に収納する前に、10個それぞれのゴムキャップを右手人差し指で触って有無の確認をしていた。ある時、その工程にお客様が工場視察に来られて、この漏れ検査工程と通路を隔てた反対側エリアを見ていかれた。その時、漏れ検査の作業員は一行の状況が少し気になって視線がお客様のほうに向いた状態で、手元では通常の作業を続けていた。作業員自身はゴムキャップを触っていたとは思うが、最終の出荷前検査にて欠品が発見された。直接的には作業ミスだったが、このような状況での人のやりそうなことを想像して予め手を打っておくことを忘れた失敗体験だった。

これ以来、「見る」という結果や証拠が残らないことには注目しておく習慣が身に付いてしまった。画像検査等にお金をかけて対策する方法もやったが、人間の見る力に頼ることは多く、目の動きや補佐する動作の工夫が大切であると身に染みた。

⑦「影」がヒントになる！

部品同士の組み合わせ、接合・接着方法、ネジ締め等の中で「モノの向き」が決まってくる場合と、そうでなくどの方向でも組付けが可能な場合がある。治具などで決められてくる場合は良いが、固定せずに机の上などで容易に作業できる場合には、作業指導内容の中にこの組付け方向まで及んでいない場合が多く、生産性、品質面で影響が出てくるポイントとなる。

設計的に一方向からしか組付けできないように工夫されていれば問題はない。しかしながら、利き手の違いによって組付け方向を変更する場合もあり、作業準備をする時にチェックが必要。作業観察する場合の視点でもある。前の項で視線の話をしたが、組付け方向と照明の向きにも改善ポイントが出てくるかもしれない。特に、「影」がどのようにできるのかを注視すれば糸口が掴める。

⑧ 部品の1個取りは?

組付け作業の中で、小ネジ、クリップ、ワッシャなどを使う場合には、よく見かけるのが小箱に収納されたたくさんの部品。部品箱に手・指を突っ込んで1個または数個を同時に掴み取っている場面を思い描く。面倒でも1つずつ取り出すこと=サイクリックな作業にすることが、後々の改善に結び付けやすくなる。また、小物部品を手から落として拾うムダや、落とした部品を元に戻す時に場所を間違えたり、慌ててまた落としたり、とうまくいかないことが重なるもの。

簡単な道具立てでマグネット、ヒモ、スプリングなどを使った「ネジの1個出し」などのアイデアは、たくさん世に出回っている。「からくり改善」などの実例を見聞きすることが大変有効だ。

⑨部品置場周辺には、ネタがいっぱいある！

組付け部品の置場については、まずは組付け作業員の取り出しやすさを考えたい。わかりやすいのが、置場までの距離、体の位置。単純な距離だけでなく、作業時の足のステップの踏みかえ方、かかとの離れ具合なども目で見てわかりやすい着眼点となる。

その次が、組付け順序と部品置場とのコンビネーションや、組付け工具との位置関係。電動ドライバーが作業位置近くから邪魔にならないところにスプリングで移動したり、逆に近付いてきたりする時に、ドライバーを持たない側の手に対して作業に適したモノの置き位置を考えると案がたくさん出てくる。機種変更した時に部品置場を柔軟に変更して、段取り時間内とかサイクルタイム内で変更できるようになっているかどうか、応用の範囲は広がってくる。

部品そのものだけでなく、部品に付いている接着剤保護のカバーシールや、部品同士の擦れ傷を防ぐための仕切り紙など、その場で不要となるものをどうやってスムーズにゴミ箱に入れるのかも悩みどころ。特に、長いテープ状になって、作業中に他に絡まってしまうものの処理には苦戦した。簡単なセンサーを備えたエアーによる吸引装置なども有効だった。新聞紙の処分はなかなか良いアイデアがなく代替材への変更で逃げた。

空箱の回収、返しにもいろいろなアイデアが出てくる。組付け品ではないこの分野は、付帯作業のため意外に作業改善が進まないところ。組付け補助作業の遅れによって全体の効率が左右される場合もあり、見る方向を変えて、部品投入者の作業内容を見直すことも効いてくる。

⑩ 体がリズミカルに動いているか?

作業姿勢は組付け品と正対しているのが普通だ。ベルトコンベヤ上でワークが動きながら定位置作業をする場合には、微妙に体の向きが変化してしまう。少し先行している場合には自由度があるが、少し遅れてきた時、「アンドン」や呼び出しスイッチを使ってラインストップするまでの短時間での動作が注目点。頑張って挽回しようとしているところを見逃すとロスが大きくなる。逆にこの挽回動作が改善のヒントにもなる。

遅れが続いたために作業位置、姿勢が通常と異なり「やりにくい作業」の積み重ねとなって疲労が重なり、ひいては組付け不良、作業遅れに繋がるもの。こういった小さな変化の始まりを早めに摘んでおくことが、全体のコントロールを楽にしてくれる。

また、次のワークへの作業位置変更や部品取りの際に体が回転する、この時に次の作業とのマッチングを考えてみたいもの。部品の位置、工具保管場所、組付け時の工具位置などを、体がリズミカルに動くことができるように、作業員とのコミュニケーションから掴んだアイデアは、安定したモノづくりに寄与してくれる。

（3）監督者、ライン外作業員の動き

①飛び回っている理由が糸口になる！

大抵の現場監督者（部下10人程度を束ねているリーダー、班長）は、日々ゆったりと仕事ができていることがない。何かと忙しく動き回っている。

全ての時間帯での活動を追い回すよりも、朝一巡回や「現地・現物・現人」の動きの機会に監督者が何をしているのかに注目することも必要。異常対応、処置……すなわち作業遅れへの対応、手直し品の修復、段取りの援助（内段取り、外段取り）、現場全体の4S（整理、整頓、清潔、清掃）、部品、製品、材料の運搬、などこれらの作業に加えて生産周辺の問題点対応、調整を含めて非定型的なことで動き回っている。

このような監督者の動きを近くで見ていて違和感を持つこともたくさんあると思う。監督者の行動全体に改善の網をかけるのではなく、あなた自身の「当たり前」との比較で「違和感」を感じたところをキッカケに取り組めば問題発見に近付くことができる。「どうしてこんなことをやってんだろう？」に気づいたら、すかさずポケットの中のメモ帳にキーワードだけを書き留めておけば、後でアプローチする時に役立つことが多い。このように、監督者・ライン外作業員の行動を自分自身の当たり前と比べて違和感を感じた糸口は比較的効率的となる経験が多い。ただ、空振りとなってしまった

経験もある。それは、現場に身を置いている時間がだんだんと短くなってきて、ものの考え方、従業員の気質も変化してきていることについていけていない自分が原因となっていた。

時々は、「何とかしてほしいこと」を聴いてみることも有効。情報源として助かったり、お互いのベクトル合わせになったりと、双方向のコミュニケーションが改善の仲間を増やすことにもなる。対応順序としては、「彼らが困っていること」を先に手がけて、その後であなた自身の違和感、目指したいところを後に出していったほうが、少し遠回りにはなるが、改善の継続という観点では大切なポイント。「部下の違和感」「部下の手柄」を目立たせるチャンスであり、継続へのベース固めになる。

② 残業時間に何をしているか？

定時間内の活動と比べて残業時間帯では、監督者やライン外作業員は異なった活動をしている。異常対応だけでなく、意外に定常的にやっていることが改善のネタになる。そういった観点からは、通常作業時間外での観察は、「問題点の発見」という面では効率がいいもの。

新人の班長用に使う「班長行動内容」のようなものを書いてもらう時に定時間外も含めてもらうと、その行動の要否やタイミングの妥当さなどから改善点が見つけやすい。

③ 雨が降りそうになった時に、何をしているか？

特殊な例だが、急に雨が降りそうになってきた時にはどんな動きをするのかを観察してみると、新しい発見をした経験がある。監督者は、次に起こる事象、変化を先取りして影響が少なくなるようにしている。工場管理者、経営者はその動きを理解し、感謝の気持ちを持つとともに、そもそもその動きがなぜ必要なのか？を考えたい。モノの置き方、場所の使い方などを決めた通りにやっていなかったり、できなかったりする現実が見えてくる。目の前の事象に対して「当たり前」を振り回す前に「そもそもできるルールなのか？」を考え直すキッカケとなった。

（4）部品供給、空箱、梱包箱の供給

量産工程では、サイクルタイム、納入ロットサイズ、頻度により部材供給作業が定常化して専任者を配置している場合もある。大部分の中小・零細企業では標準化、平準化、サイクリック化が遅れているケースが多く、意外に改善が進んでいないところ。さらにメインの組付け、加工作業に悪影響を及ぼしている場合もある。各担当者任せでは、なかなか解決しにくい課題なので、視野が広く関係者との調整ができる上位の人達の活躍が期待される。

① どんな信号を出しているか？

量の大小にかかわらず材料、部品、製品の運搬には搬送具やフォークリフト運転手のような有資格の作業員が必要となる。それらのパワーを考えて、どんなタイミングで、どういう手段で運ぶのかが決まってくる。前記の部品供給の項でも書いたが、中小・零細企業ではサイクリックな作業にはなっていないケースが多い。欲しい時に、何を、どれくらい……という情報をどのように運搬者に伝えるのかが「場当たり的」となっている場合もあり、改善のネタ。

頻度が多ければそれなりに「しくみ」が作られることと思う。頻度が小さかったり、その都度に対応していることが多い場合では、遅れ、量・種類のアンマッチが発生し生産全体への大きな影響を与えている。

各作業での改善の積み上げ、継続の話をしてきたが、こうした素材、部品、製品、空箱等の運搬が工場全体の生産効率に大きなブレーキをかけることがよくある。定期的な作業となるように仕組んだり、運搬のリードタイムを見込んで信号出しの方法を考えたり、いろいろな案が出てくると思う。この分野での失敗体験からの教訓は、

（a）まず、思い付いたことに取り組んでみる。

（b）少々反対意見があっても、「試し」をやってみてその状況を現地・現物で見て、考え、話し合って一旦決める。

（c）対象や種類が多ければ、対象を絞ってスタートする。経験的には、「下手な鉄砲、数打ちゃ当たる！」

搬送要求の信号出し「札」を「仮」のもので準備したり、信号を表示する場所を予め決めておけば、少しずつ進む。そして信号を受ける人もどのタイミングがいいのか、確認する時の見え方などを決めていけば、だんだんとサイクリックな仕事に近付けられるようになる。しだいに、一段階上のアイデアも出てくる。

②運搬元にも気を配る

運搬物となる素材、部品、製品などの置き場所の表示はどうだろうか？ 生産現場では一般の作業員が部品などを取り出すこともあり、間違いなくできるように置場の表示などを配慮していることが多い。これに比べて素材や大物品になると専任者の担当範囲でもあることから、キメ細かい準備が省かれることがある。当事者の運搬担当者にとっても「わかっているから大丈夫！」という反応が多く、ついつい改善が後回しになったり、省略されがちとなる。

ここでのトラブルは程度が小さくても、一旦ミスをすると生産活動全体への影響が大きくなる場合があり見逃せない。多種類になる場合には、種類別の置場、ロケーションを確保しようとすると床面積の使用効率が悪くなる。これを心配して手を付けないままにしていると、主たる生産工程でいろんな改善が進んできても、全体の進捗にブレーキをかけることになってしまう。

③置場の整理・整頓

置き場所を一旦決めてみるとその設定と現実とのアンマッチに気づいたり、設定の妥当性に疑問を持ったりする。こういう時を起点に、せっかく決めたルール、仕組みが現実と合わないというだけで元に戻ってしまう失敗を多く経験してきた。ここが頑張りどころ。

作業改善の中でも書いたように、まずは無理やりでもいいので標準、ルール、「決めごと」を作ってみて、その通りを全員でやり切る。やり難さ、現実と合わないことをみんなで話し合って1つひとつ直していく。このやり方が将来の継続できるエンドレス改善という体質作りの大切なポイントとなる。メンテナンスにもなる。

後で出てくる……少しレベルの高い「かんばんの活用」「後工程引き取り、後補充生産」「定期不定量、定量不定期」などに比べれば、「置場の整頓」は誰もが目で見てわかり、効果の検証もできて、自分達でしくみやルールを変えていけるチャンス。このような分野での全員活動のクセ付けが後々の体質強化の基礎になった経験が多くある。ここがうまくいっていないのにレベルの高いしくみを導入しても、一時期だけの導入により体裁だけができただけで、内容、体質が伴わない職場をたくさん見てきた。こういった基礎的なところをしっかりやり切ることが、どこへ行っても同じように大切であると痛感している。

④ 仕入先との協調関係は、リスペクトから

一般的には、仕入先は自社よりも規模が小さかったり、仕事の仕組みのレベルが整備不足だったりすることが多いと思う。仕入先に対する時、自分中心の理屈をメインにしたり、購入するという立場に甘えて無理を頼んだりすることに気を付ける必要がある。仕事を与えているという錯覚から生まれやすい力関係上の優位さをベースに強引に改善を進めてしまうと、体質の弱い仕入先が、購入先レベルの当たり前に合わせるような、分不相応な改善に同調させられることとなる。「Ｗｉｎ－Ｗｉｎ」と耳障りのいいキーワードは、購入側が先に言うものではないと思う。

仕入先との共同で改善を進める場合には、往々にして「自社の論理、都合や利益」を優先した進め方となりがちであり、購入側の姿勢として常に気を付けたいところ。これは、多くの反面教師にしたい事例を見てきた実感。

時々、仕入先の社長が自分でトラックを運転して材料や部品を納入してくれる場面に遭遇したことがあった。この時は、特別な対応を冷やかすのではなく、どんなことに困っているのかを教えてもらって、お互いに問題点を共有し、改善案を相談する機会にしたい。

最終完成品メーカーが大企業で、ティア1、ティア2……と順々に規模、体質が下がってくる産業構造に慣れすぎると、意外な困難さに直面することがあった。仕入先が自社よりも大きな規模の会社であったり、体質の優れていた場合は輸送単位、方法などで自社の当たり前、理屈や都合で強く頼めないことが多くあった。こんなことも含めて、仕入先に対する姿勢としては、常に「助けていただいている」という謙虚な気持ちを持ち続けたいと思う。

大企業中心のピラミッド型産業グループでの改善活動と比べて、個別産業、中小企業中心のモノづくり現場での改善活動は大きく異なるものと経験上実感している。小規模事業でも、基礎的な体質をじっくり固め、関連する仕入先との協調関係を丁寧に構築していけば、前者の大企業中心の活動よりも「改善の継続性」という面では勝ることを多く見てきて、関係構築という面ではチャンス！

⑤材料の運搬での改善は、長期調達が支え

自社の前後工程、内外製区分によって素材、材料の梱包・輸送形態が大きく異なる。注文単位、輸送量の単位、梱包方法などは自社の規模が小さければ相手の材料メーカーに合わせる必要も出てくる。一般的には、梱包形態は材料メーカーの標準が中心となるケースが多い。自社向けの特殊梱包に対する追加コストを要求されて、社内コストとの比較で迷うことが多くあった。

連携して改善案を探し出し、試行を続けるためには継続した購入も大きな要素となる。購買部門との連携は工場管理者の役割として重大。また、入荷後の保管についてもその材料を短時間内に使い切ることは難しい場合が多く、一部の使用済みロットを再梱包・養生して収納することもある。通常の納入だけでなく再運搬も含めた取り決めや改善が必要。長期・継続の仕組み作りはこうした容易に想像できるイレギュラー対応を考えておくことが重要。

(5) 段取り、機種変更

連続した生産活動の中には多くの生産機種の変更があり、その度に段取り替えが行われる。ベルトコンベヤ等を使った多人数、多工程の連続作業、一人多工程持ちの屋台方

式、機械・設備などで型・治具を取り換えて機種変更する「段取り替え」がある。この場面では、モノづくりが一旦止まってしまうため、時間短縮という多くの改善ニーズが出てくる。

全体の生産効率に及ぼす影響が大きい段取り時間なので、ここでの成果が全体の効率に大きく効いてくる。また、段取り改善への参画者にはとかく当事者である段取り員、ライン責任者、班長などが中心となるが、一般の作業員は毎回の段取り作業を横で待ち遠しく見ているので、別の視点でのアイデアが期待できる。これに伴って、主作業への改善展開に対して間接的なプレッシャーもかかり、好循環となることが多かった。こうした巻き込み方は、工場管理者しかできない裁量、配慮になる。

① 機種変更の表示

生産機種の切り替えは、機種名、品番、特別注意点等を現場の実態、実力に合わせた「表示」が必要となる。時々のメンテナンスも大切。熟練した作業員が多い場合は省略しがちなことだが、多くの納入不良経験から思い起こすとベテランになる程、この種のミスが不具合の原因となる事が多かった。熟練者が新人、後輩に対して良き見本を見せ付けることが大切。「やる、見せる」レベルではなく、「見せ付ける」ということが、仕事の伝承には効いてくるものと実感してきた。

誰でも、「楽をしたい、面倒なことは避けたい」と思って、周りの状況の中から楽なやり方を探してやってしまう傾向があるもの（easy option）。たまたま見つけた小さな手抜きを見逃さずに、しっかり教え直すことが大切。ついでに、「なぜそのような面倒なことをするのか」を、腹に落ちるまで伝えることが重要。

また、機種名、品番等を既に覚えていて、機種表示での確認は自分には不必要だ、と考えたり、機種表示を見ることが間接的に熟練度が低いと周りから見られていると錯覚する人もいる。十分に教育と訓練がなされている会社、工場では縁遠い問題かもしれない。中途採用が多かったり、外国人が多かったり、教育時間の確保が難しかったり、時々の訓練が計画的にできていなかったりと現場の体質の弱い場合は、自工場のレベルに合った道具立てや工夫が大切になってくる。キーポイントは、「誰がやっても、間違いなくできる」ということ。外部からの的確な指導、アドバイスが難しく、工場管理者、経営者自身が直接関与すべきところ。

これらも、「言うは易く行うは難し」であった。表面的な帳票の整備だけでは空振りとなった経験がたくさんある。写真入りの資料にしたり、失敗事例の写真を載せたり、色を変えたり……とやったが、どれも完璧というものではなく、改善の連続だった。

最近では、動画情報の取り込みも楽にできるようになり、得意な仲間に活躍してもら

う と素晴らしいものができ上がるように思う。
ポイントは、「1個不良」対策とは異なった「ロット不良」リスクを考えた準備を緊張感を持ってやること。

②「1号機チェック」（段取り直後の1番目の直前に！）

これは、ベルトコンベヤなどでの複数作業員、複数工程が連続する場合に使う具体事例。前記の機種変更時の表示をする時、製品を流動する直前に「1号機チェックシート」と呼ばれるものを流動する。

A4サイズ程度のチェック表を透明セルケースに入れ、各工程にて使う該当部品名、品番名、治工具、機械の設定値等を書き込んである。各作業員は、この「1号機チェックシート」が到着したら、記載内容と現物を確認してチェックマークをセルケース外側にマーカーで書き込み、次工程に渡す。

もし、該当する機種の組付け後に不具合が発生したら、このチェックシートの記入状況を見る。次回仕かけ時まで、消さずに残しておくのである程度の見直しには使うことができた。ただし、このやり方でも万能ではなく、各人の自己チェック、緊張感の維持には手を変え、品を変えるという継続した取り組みが続いた。

③材料の入れ替え、補充

組付け周辺の部品供給に比べて意外に注意力が下がってしまうのが材料の入れ替え、補充での小さなミス。これが全体の効率、品質にボディーブローで効いてくる。材料の投入ミス、遅れなどは「論外！」と思われがち。現実には、多くの中小企業では時々見かける「あるある話」。「ミスをするな！　遅れるな！」だけで済ませていると、より広い工程、工場規模での非効率さに繋がる問題。中間にある程度の在庫を置いていると、この問題が目立たなかったり、消えたりする。組付けライン側の材料ストックを省けない場合の妥協点は、在庫の持ち方、置き方の変更。別項でも書いたが、使用場所には限定した量を置き、「非常手持ち分在庫」を別の場所に量を決めて持つこと。そうすれば、ラインサイドでの材料に入れ替え、補充時の潜在問題が見やすくなる。この類の問題を発見することとは、四六時中現場にいられない人だけで頑張るのではなく関係者、一般作業員からの「ヒヤリハット情報」で助けてもらうことが、パワーアップになり、改善後の維持にも理解者、協力者が増える。

④部品の入れ替え時には、類似品に気を付ける

部品の選定について、まずは設計部門にて決定されるが、標準化、コストダウンを狙った設定が多くある。その中で出現してくるのが、「似て非なるもの」。それぞれに生

い立ちの理由があるが、組付け工程での生産性、品質に配慮されたものなのかをモノづくり側としてチェックし、言うべき点はしっかり打ち明ける必要がある。トータルコスト！

こうした「似て非なるもの」を受けて立った部品の入れ替え作業は、異品・欠品防止といった品質対応や、判断に迷うようなムダな時間の排除のためにも周到な準備が必要。欠品防止のためには員数管理された個数限定の収納箱も有効となる。特に、組付け部品が最終完成品の外観検査にて見つけられない構造の場合には異欠品防止の策を1ランク上げておく必要がある。

上流での未然防止として、製品の生産立ち上げ前にやっておくことが多い。あるものは客先要求・指示となっていたり、個別製品での改良策の横展開が未実施だったりすることがある。個別に設計×製造での調整の後にリスクを覚悟して踏み切る場合も多くあり注意が必要。このような局面での工場管理者の立ち振る舞い方として、過去の失敗から得られる「仮想体験からの学び」を活用し、ボタンのかけ間違いを防ぎたいもの。

個々の事象での予想した問題点は貴重な情報。最低でも書き出しておく。決定の経緯との関連をまとめておき何らかの対抗策を作り、デメリットを見えるようにしておき、後々でも使うことができるようにしたいもの。こうした記録は将来において後輩のための技術伝承の大切な部分となる。

⑤「任せるチャンス」の段取り改善

段取りの改善は、段取りのための生産停止時間を小さくするだけでなく段取り時間短縮によって小ロット化、平準化が進み問題点の発見がより容易になってくる。その結果、改善が進むことによって全体の生産性向上に寄与することになる。段取り改善は現状把握として、内《うち》段取りと外《そと》段取りの分割リストアップを進めることにより、現状の妥当さが容易に自己チェックできて早々に改善がスタートできる。

このように分類、ウエイト付けするだけで当事者自らが気づくことができる。そして自分達で改善をスタートするように誘導してやることによって、自らの手柄を実感できる時を作ることが大切。経験豊富な上司、工場管理者、経営者の中には当初からガンガンと問題点指摘をし、リードしたくなるもの。自分自身もやってしまったことがある。その指摘内容は当事者である作業員、段取り員、ライン責任者や班長では気づくことができないのかどうかの見極めを一瞬やって、当事者による「自ら問題発見、気づき、改善案の考案」という機会に譲ってあげることが長い目では成功に近付くと実感している。

段取り改善は、構成員の力量の差によって大きく左右されるもの。したがって、進め方についてはそれぞれの力量をよく把握した上で進めていくことが必要となる。別の観点では、この機会に関係者の能力が大きく成長できる機会となる。仕入先指導に出向いた場合などには特に注意したいところ。それは、ついつい自社・自工場でやっている方法を自分のモノになったという自信をベースにして、仕入先で同じように展開したくなるもの。このような空打ち、失速の事例を時々見る。

前項にも書いた内段取りと外段取りを区別して、「内→外、外→内」の変更を含めてどちらでやったほうが良いのかを話し合い、試すことがスタートとなる。内段取りと外段取りでは時間と労力のかけ方、設定目標が大きく異なる。単純な「内 or 外」だけでなくそれぞれの内容をさらに分解すれば、糸口が掴める。

担当する人についても、内段取りは担当作業員を中心にライン外作業員等が実行するが、外段取りとなると担当する人の制約も減り、改善案の自由度が増えてくる。作業の内容、必要技能によって改善の仲間が増える場面。

また、型移動をともなう場合には、型置場と引き当て設備との間を運搬する間に中間的な一時置場も必要となる。この機会を型の予熱、保温等に活用する場合もある。型に付随する材料投入口、廃材取り出し口、製品取り出しシュート等を予めセットできるチャンスでもあり、これらの付随する「仕かけ」を共用するのか、安価なものならば個別に設定するかを考えたいところ。

「外段取りの準備完了」を何らかの形で表示することが大切。信号発信・伝達により関係者と共有できれば、実作業以外の関連する仕事が円滑に進むという効果がある。

⑥どこまで小ロット化すべきか？

モノづくり現場の体質向上に向けた諸々の活動では、「方法が目的」とならないように上に立つ者が常にチェックしておく必要がある。起点は「儲ける→コストを下げる→時間短縮・出力アップ→改善」を目指して「問題点の見える化→問題発見→改善」と進めていく。この過程でそれぞれの行動が目的・目標に対してどのように関係するのかをいちいち関係者にわかってもらう努力が必要。

指導者から思い切った改善をするための意識改革として、極端な「小ロット化」のアドバイス、指摘があるかもしれない。外部から「べき論」や比較論で「在庫が多い、ロットサイズが大きい」と言われると、反論の根拠が乏しく難しい場面となることが多い。現実論から否定したり、逆にオーソリティから決められた目標に絶対服従する前に、まずは提案された目標値の根拠を理解することが大切であり、関係者の腹に落とす努力と時間がいる。また、容易に達成できそうな目標ではない時には、意識改革を迫られていると考えるべき。ストレッチ目標が必要であることを責任者として理解し、関係者の納得感確認とベクトルを合わせに注力したいところ。

私自身がやってきた進め方は、日々の継続している生産のことも考えて1日の段取り時間の合計が、総負荷時間の1割程度を限度とする目安を持って、実力に応じて段階的な目標設定もしてきた。だんだんと、段取り改善・小ロット化していくと、見えてくる問題点が変化してくることを関係者全員に現実の事例で解説してあげることで自信を持ってもらい、目的を見失わないようにしたいもの。

⑦ 道具、工具、型の置場にこだわる

段取り作業に使う工具、型などをどこに置くのかは、その作業が内段取りなのか外段取りなのかで異なってくる。少なくとも、工具等を探し回ることは絶対避けねばならない。

想定している段取り作業は、組み込み・外し、ネジ締め・外し、部品取り替え、位置調整などで該当する作業から近い距離に置場を設定したり、段取り台車を準備する方法もある。

型についても、前述のように遠くの型置場から天井走行クレーン、フォークリフト等で運んでくる場合もあり、一旦は使用場所近くに仮置きすることになる。予熱・保温の場合は電源や信号発信も必要。また、段取り作業全体として作業内容に応じた補助的な局所照明、圧縮エアーの確保や潤滑油、ウエス等の準備も必要。

⑧ ネジ締めの回転数

段取り作業の改善において、アイデアとしてよく出てくるのが単純作業での時間短縮。型、治工具等の取り付け構造は、設備・型の稼働状態での強度や耐久性を前提として設計されることが多い。したがって、恒久的な締結と頻繁に行われる取り付け・取り換えする部分を区別してもらえるように注文すべき。ネジなどで締め付けして合体する場合には、段取り時間の制約を考慮してできるだけ必要最小限の締め付け代に留めるように望んでいる。内製設備ならば反映しやすいところだが、購入品では、意識してこの点を確認、注文したい。ネジ締め付け以外にも、段付きバー、機種別位置決め機構、スライド式ガイド、位置合わせ用専用穴、マーキング等がある。

段取り改善は、関係者の多くが実体験し、現地・現物で身に付けることが多い。段取り改善を考慮した設計改善が、今後のモノづくりの競争力向上に寄与してくると思う。

⑨ 公開段取りにより3軸（X、Y、Z）の効果を狙う

ある程度の段取り改善が進んできた段階で、もう一段のレベルアップを狙う時に有効なのが「公開段取り」。タイミングは、段取り改善の始めから使うよりも、ある程度の基本的なレベルが上がってから後のほうが、投入パワーの質と量を考えると適当と思

う。ただ、「公開」を単なる「他の人に見せる」ことと誤解しないことを注意したいもの。主なポイントは……

（a）参加者は、他工程、他部門の人達も含める
（b）問題発見の「目」を増やす
（c）改善のアイデアを増やす
（d）改善実行のパワーを増やす
（e）公開段取りへの参加により、自職場への展開を図る

……ということを目指している。

やり方としては、参加者へのノルマがポイントとなる。すなわち、公開段取りの参加者には「見るだけの人」は不要。参加者全員に分担を割り振り、時間測定、作業分析を踏まえて改善案作りを個人またはチームでやってもらう。その後で、調査結果、案を披露し合い、お互いに「気づき」を成長させながら改善案にまとめていく。実行作業も、参加者自身が担当・参画することにより、人財育成面では大きな効果となる。

会を重ねるごとに、公開段取りの受け入れ部署としての希望が増えてくれば良好な状態と言える。このことが、改善の継続性や拡大に大切なポイント。

すなわち、（Y軸）生産性向上という直接効果、（X軸）時間軸を意識した継続性、に加えて（Z軸）人財育成。

(6) 停止発生時の対応を改善に活かす

① 「頻発停止」に取り組む!

初めに設備、ライン、工程の停止についてその分類・定義をしておく。まず、「停止」は大きく分けて大停止か小停止か、あるいは程度によっては中停止もある。

大停止は、全体や部分の長時間停止であり、そのキッカケは設備そのものである場合もあるが、昨今の設備技術の進歩、保全技術の進化により外部要因の停止が多くなってきている。例えば、自然災害(地震、雷、風水害、津波など)やユーティリティの切断(電気、ガス、燃料等)がある。自然災害については、地球温暖化の影響もあり我々の生活の中でも徐々に大きな変化が目立ち始めてきている。生産活動においてはこれらの変化に対する備えは進んでいることと思う。私の経験での厄介な大停止は「電力」だった。現在でも完全に解決されたり安心できるレベルにはないため、「備え強化」の対象。

実例としては、特高電力線の鉄塔においてカラスの巣、ヘビの侵入などにより予告なしの主電源停止が発生した。対応の難しいトラブル。大工場の場合は、引き込み線の複数化という手があったが小規模工場では、そのような構えができない。当時の電力供給先からの説明では、カラスが送電鉄塔の上部に洗濯ハンガーを使って巣作りをする。これを防止するために、巡回監視をやってくれている。ただ、抜本的な防止策までは聞けていない。送電鉄塔に光を放つ風車も設置されてきて、効果を期待したいところ。

これより少し程度の小さいものに「瞬停」「電力低下」がある。白熱電球の照明や古い制御方式の時代にはそれ程影響を受けなかったが、最近ではこのトラブルにより、設備の急停止、自動復帰せず、という頻度が増えてきている。照明の変化だけでは気づきにくく、このトラブルの存在を知っておくだけでも心の準備になると思う。設備仕様によっては、復帰までに時間を要する場合がある。

小停止は、現場では「チョコ停」と呼ばれることが多い。いつ頃なのか、この表現がよく使われるようになったが、私は30年ほど前から自分勝手に「チョコ停」→「頻発停止」と言い換えてきている。その心は、「チョコっとだけ止まった」というような停止時間の短さゆえの「矮小化」への抵抗。この小停止により頻度が無視できないほど徐々に増えてしまい、生産活動への影響が「茹でカエル」状態になってきていることへの危機感でもある。生産現場では、一旦なじみになった言葉が一人走りをしてどんどんと伝わることが多い。新しい人が入ってきた後、世代が代わってきた時には、気を付けたいと思う。

「頻発する小停止」≒「チョコ停」は、その内容が見極められずに「チョコ停」という総称で大括りされ、対策もはっきりせずに放置されていたケースも多くあった。名称を変えることは技術的なアプローチではないが、関係者の意識を大きく変えたかったのが狙い。

次項からの停止対応を継続改善に結び付ける話は、主にはこの頻発停止を対象に書いていく。

② 停止後の復帰の前に、状況把握と記録

設備停止時の重点は、どうしても生産再開、停止時間の短縮に重きが置かれる。もちろん、早期の再スタートに向けたより良い復帰の仕方の工夫も大事だが、ここでは「継続改善」に繋がる話に重きを置くこととする。

この段階では、停止を発見した時の設備の状態をよく見て、できれば記録しておくことが後々の活動の助けとなる。停止した現状からの復帰時は、安全確保をしながらワークの除去、異物の排除、駆動部周辺のチェックをするが、写真やビデオ等に記録しておくことは有効。「保全報告書」を書くよりも、スピード重視で情報機器を活用したい。Z世代、α世代の仲間に活躍・参画してもらうチャンスでもある。

失敗事例の1つが、内製設備（社内で設計、製作、調整を担当）での調整段階にあった。設備製作部署での製作・調整中の時に、ベテラン作業員や保全員が設備製作部門へ

出かけたり、現地設置後に調整作業に参画することがある。このこと自体は、設備構造の理解、操作方法の習得に大いに有意義なこと。設備製作部門のプロは、最終段階の調整時に多くの小停止（頻発停止）を乗り越えて、設備の信頼性向上を図る。その時、ワークの除去、原点復帰等をやるのだが、厳しい納期プレッシャーもありワークの除去と原点復帰を同時に進めることもある。こういう場面で、素早くやる作業を見ている受け入れ側の作業員は、どうしても問題箇所の復帰に集中して見てしまうもの。設備内に残留したワーク、材料等の状態をよく見ずに復帰を優先しがちとなる。

このように、停止時の記録からは、多くのヒントが得られて分析や改善に役立つ。復帰を急ぐあまりどのような状態で故障し、停止したのかがわからずに多くの時間を要した失敗はたくさんある。普段から指導・訓練の中で、指揮者が「記録の実践」に向け、身をもって示していくことが大切。

この停止時の記録は、将来の作業教育・訓練の材料として大いに活用できるものとなるはず。再現して見せることが難しい事象を目で見て短時間で理解してもらうことができる。

③ 停止要因の分析は、プロの助け、原理・原則が大切

停止後の復帰作業をやりながら関係者は既にトラブルの要因を頭の中で描き始めている。そして早期の復旧を狙いながら対応策を考えている。多くのトラブルは、再発生事象が多いと思う。それらの停止要因の分析は、既知のものもあるがまったく新しいトラブルや慢性停止については慎重に要因分析をする必要がある。指揮者としては、関係者の早期復旧という逸《はや》る気持ちをコントロールしながら冷静さが必要な場面。

経験的に役立ったのは……

（a）設備設計者の見解
（b）大ベテランの意見
（c）原理・原則をベースとした自己チェック

だった。裏を返せば、失敗体験の多くがこれらの（a）、（b）、（c）が欠落していたりサボっていたものだった。面子は横において、謙虚な姿勢をリードすべき場面。

要因分析は、「なぜなぜ分析」や「再現テスト」などの品質問題解決の手法が活用できる。設備、装置のトラブルは、ハード、ソフトとも技術的なアプローチが活躍できる分野、範囲が多く品質問題のような人間系、心理面へのケアは比較的に少ないので活動は比較的に進めやすいと思う。ただ、苦戦した時にはこのようなヒューマンファクター

も頭の中に入れておくことが全体を俯瞰する立場の人には期待される。

④ 再発防止は、継続改善へのチャンス

前項の停止要因の分析次第で再発防止活動は順調に進むものと思う。ただし、現状把握不足、分析不足により再発が止められない時は、前のステップに戻る冷静さが必要となる。最前線で作業に集中している人達の視野は次第に狭くなってくる傾向があり、上位者による冷静で全体を俯瞰して見ている役割が重要になってくる。

我々の目標は、改善の継続。トラブルを解決してやれやれとなるのもわかるが、せっかく周辺の状況確認、要因系の知識習得、再現テストでの種々のケースでの問題予測・確認を終えたものを使わない手はない。さらなる信頼性の向上やスピードアップによる生産性の向上という改善に結び付けたいもの。言い換えれば、停止対応で得た知見、経験を次の活動に活かし「雨降って地固まる」、さらには強靭化へ繋げるという絶好のチャンス。したがって工場管理者、経営者としては少し長い目で、停止トラブル後のシナリオを描きながら体質強化、人財育成を狙ってほしいもの。

4　現場の実態を図に描く：「物と情報の流れ図」

（1）目的（俯瞰して見る、危機対応にも活用）

このツールとの出会いは、1997年2月だった。1992年からの海外勤務を終えて出向前とは異なった製造部の工場長として着任した。ちょうどこの年に、この部門は長い間パスしてきたトヨタ自主研の会場職場となっていた（会場職場は、2、3年ごとに社内の1部署が選ばれる）。私は過去3回元職場で経験してきた時には生産技術課として活動のハード面を中心に支える役割が多く、受け身の姿勢であった。本来業務である新製品生産準備、品質改善活動、生産性向上活動（合理化、自動化）、海外生産準備・支援等の片手間仕事であった。言い換えれば、当事者意識が乏しく、本質まで考えずに3回とも過ぎてしまっていた。

今回は、自主研職場の実行責任者という役割が既に決められていた状況で帰国、着任した。このためキックオフの会では、周りの支援してくれている本社機能部のスタッフや部内のTIE課スタッフの確実な準備に乗っかって、ただ役割を演じることが期待されていた。以前にも書いたように、この時の失敗から次月の報告会に向けた活動を大きく変えた時でもある。この時の発表資料の中には「物と情報の流れ図」があり、初めて見た私にも非常にわかりやすいものだった。5年間の海外勤務の後で、「浦島太郎」であった。

それぞれのシンボル、ステンシルの意味がわからなくても図に描かれたものから新しい部署の全体を俯瞰して見ることができた。また、問題点もすでに書かれていて新参者にとってはありがたいものだった。毎月の報告会の後には、受けた指導を反映したり、改善の結果を入れて更新したりと、ただ1人の発表者であった自分にとっては、確実に理解して自分の言葉で、自分の意志を入れた報告ができるようになった貴重なツールだった。各段階の「物と情報の流れ図」を並べて改善前、後の問題点の変化、改善計画、と将来のありたい姿を考える機会をもらえた。

一般的に考えられている「現状把握、現状分析のツール」としてだけでなく、当事者以外の人にも「極短時間で」全体を理解してもらうために有効。従来は、分割した各パートに集中した分析は多かったが、このツールにより仕入先、前工程も含めたモノづくりと出荷や納入先の状況も合わせることで、重点指向、ウエイト付けをやりやすくすることができた。以前の活動では、指摘・指導されたことを片っ端から片付けるやり方の傾向があり、極論すれば受けた指摘・指導に対して絶対的なものとして盲目的に反応して次回にお咎めを受けないようにすることが優先していた経験がある。その点で、変化の状況把握、周辺への寄与、残した課題発見など頭の中の整理には大いに役立った。

このように一般的な生産性向上、トヨタ自主研などの活動におけるツールとしてだけでなく、活用できた事例がある。それは、危機管理。２０００年の東海豪雨の時、仕入先工場の水没に伴う代替生産と仕入先復旧・復興の進捗管理には有効に使えた。また、九州での豪雨に伴う仕入先の浸水被害、北陸での仕入先の火災被害対応・復旧にも関係者全員が短時間で状況を理解し、問題点を共有すると共に「新たな気づき」を出し合うことができた。

生産性向上活動の話に戻って、トヨタ自主研活動を平常の活動として定着すべく始まった「ＥＦ活動（Efficient Factory：当時、現在は、Excellent Factory）」でも、どの職場でも当たり前のようにツールとして使い、他職場の活動から「良いとこ取り」したり、仮想体験できる機会が多くあり、使いこなすことが大切であると痛感している。

(2) 作り方のポイント

この項では、「物と情報の流れ図」の作成方法の話は割愛させていただく。現在では、書籍やインターネット情報、ソフトも容易に手に入る。

参考：『トヨタ生産方式にもとづく「モノ」と「情報」の流れ図で現場の見方を変えよう!!　Learning to See』（著者＝Mike Rother　& John Shook、訳＝成沢俊子、日刊工業新聞社、２００１年）

以下は、自分自身の失敗経験からのポイントを書く。仮想体験してもらって、もっと効率の良い活用や、新たな使い道を見つけ出していただくことを期待している。

① 現状の調査、把握

目的の項にも書いたが、図の作成が目的ではない。自分自身で現場に出向き、現場で確認することが必要である。また、最前線で作業をしている人達と「現人」で話して自分が認識していたこととの相違点をチェックしたり、直感したことを確かめたりする時間を大切にしたいもの。

時々やってしまうのが、「物と情報の流れ図」を先にみること。前にも書いたように容易に状況がわかってしまう。自分の多忙を言い訳にして現場に行かなくても、実体を「わかった気になる」ことがある。また、ただ単に現状を理解するためだけでなく、何らかの改善方向、狙いを強い意志を持って臨むことが重要となる。

中小企業の場合は、日々の生産が毎日同じように繰り返されていることは、少ないと思う。日を変えて生産品目の違いも入れて、ある程度の期間を設けて調べることも必要。

調査・作成段階での失敗体験は、いろいろある。

まずは、調査時期の未記入。いろんな場面で作成し改訂するが、似たものが多くなって使い間違えたり、しばらく時間が経ってしまい時期もわからず、価値の小さいものとなってしまったりした。特に、発表・報告資料の一部で使われる時には、資料全体に対して日付が記載されることが当たり前にできるが、資料の一部として使われたものを、他に転用する場合には、それぞれの「物と情報の流れ図」に時期の情報を入れておかないと失敗になる。

受注生産の多い工場、季節性のある商品を扱っている工場、その他平準化が難しい品目を担当している場合は、ある程度対象を絞った範囲に留めておくこともスタートとしては、有効と思う。何から何まで網羅しようとしたりしても、目的から遠ざかってしまう。

書籍、各種ノウハウ事例には、自動車生産グループのような平準化した生産の事例が多くある。モノづくりの形態が異なったものをあまり気にせずに、ツールの主旨だけ頂戴して、自職場に合ったやり方を工夫することをお勧めする。

②作成段階

用意するものは模造紙、ホワイトボード、マグネット、サインペン、付箋紙、両面テープ、糊、カメラ（スマートフォン）。

まず始めに、対象の全体を表す範囲を紙やホワイトボードサイズの全体に広げるのではなく、周りに余白を設けておくことが後々の作成を楽にする。イメージとしては8割程度。「物の流れ線」が入り乱れてしまうと、わかり難くなるので、「造り（組付け、加工などの生産現場）」や「一時置場」を表現する時は、実際の大きさの感覚よりも小さめにしておくと良い。「物と情報」の線やその動きの状態を表す言葉のスペース、及び「問題点」を追記するスペースが必要になってくる。このスペースにメンバーからの「気づき」を書き加えたり、改善案を書き加える。報告・発表のことを意識しすぎずに、自分達の改善の進めやすさに力点を置いたほうがいいと思う。

物や情報の流れ線を表現する時に、線が交錯してしまう場合がある。現状を正しく表せばこうなるが、「見て一瞬で理解する」には、交錯を避けたいもの。もっとも、物の流れが交錯していることを問題としたくて表現する時は別だが。

次に、主な設備、ライン、置場等は、予めテンプレートを作っておく。裏側に両面テープを貼ったり、マグネットを付ければ検討時には役に立つ。いろいろな案を考えたり、比べる際には頭に浮かんだイメージをすぐに表現して、写真やコピーで残しておく。テンプレートやステンシルはできるだけ現場のイメージに似たものを工夫すると関係者の理解スピードが上がるため、標準化をしながら自職場向けのアレンジも必要。

従来から使ってきているテンプレート、ステンシルを以前の資料からコピペすることも出てくる。この時に起こりそうなことが、「物と情報の流れ図」そのものを始めにコピーして活用する動き。最近のデジタルネイティブ世代では、この流用を得意とする人が多く、仕事のスピードアップ、体裁の向上には寄与する。「初めからPC仕事」に走る傾向には注意が必要。他の人と一緒に仕事をすることを避けたい人達も増えてきている現状では、目的は現状を把握して、分析し、考えたり、気づいたり、相談するということであることを忘れないようにしたいもの。さらに言えば、ある程度体裁良くまとまった「物と情報の流れ図」を見ると、理解し受け入れることはできても、自分自身で当事者意識を持って考える機会が減ってくることに気を付けたい。

③ 活用の進め方

活用するのは前項にも書いたが、当事者だけでなく協力者、他の関係者にも理解してもらって改善に使うこと。したがって、作成段階で当事者が考えやすい、気づきを得やすい、理解しやすいものであることを言ったが、活用段階でも手作りの生々しいもののほうが役立つ。作成段階での文字の書き方、強調の仕方、写真、付箋紙に書いてある「本音のキーワード」など、貴重な財産。どうしても、他に持っていって表現するのに制約がある場合を除いて、現物の模造紙やホワイトボードが役立つし、活用したい。PC活用の資料が当たり前になり、このような体裁を整えることが「良い仕事」をやっているように感じる人や、誰とも話さずにマイペースで自分の机で仕事をしたい人達が増えてきた。このような職場を指揮する人は、皆でワイワイガヤガヤやりながら理解を深め、気づきを出し合い、進め方を刺激し合う活動に誘導していくことが必要。

また、一度作成したものを1か月、3か月後にじっくり眺めて見ると新たな気づきが出てくるもの。分析、作成したのはあるタイミングでの事実であり、その後もモノづくりは継続しており改善も少しずつ進んでいる。景色も徐々に変わってきているので、作業員、現場監督者の見方、気持ちも変化しているはず。相手は「生もの」。

④ こだわり

第1は、「現地・現物・現人」。

この言葉は、後年に失敗学会に入って以来、会長の畑村洋太郎さんからことあるごとに教えられている鉄則。先にも書いたようにコミュニケーションを避けたがる世代、人が増えてきているように思うので、「現人」については意識して行動することが必要。

世代の変遷で、情報キャッチでも自分の興味のある情報はこまめに取りに行くが、一般的な情報には疎くなっている。インターネットによる情報検索はどんどんするが、宅配の新聞はない、読まないという状況。知らず知らずに、自分の知りたい情報、聞きたいこと、耳障りの良い情報のほうに傾き、興味のないこと、聞きたくないこと、都合の悪い見解には目・耳が傾かない傾向と思う。また、誰かが自信を持ってあることへの見解を話した時には、自分で確かめようとはせずに信じてしまうか、他人のせいにしてしまう責任回避型も増えてきている。このように、世の中、世代が大きく変化してきているので、意識して「現地」に出かけ、「現物」を手に取って、触り、臭いを嗅ぎ、裏側も覗いてみることが必要。

経営者、工場管理者の皆さんは、「待ちの姿勢」でいると知らないうちに思いもよらない状況になっているかもしれない、と少し悲観的に構えて行動したほうが良さそうと思う。自分だけ、正しく理想的な考え方、行動をしていても環境、相手は力の及ばないところでジワジワと変わってきている。今後も、どんどん変わっていくことと思う。

第2は、「手書き」。

このことは、繰り返して話しているが、作成段階での「考える」「気づく」「話し合う」ことをしっかり守りたいという姿勢が元にある。ＰＣでキレイに仕上げる必要がある場合には、どの段階からＰＣ作業を始めるのかを全体のスケジュールを使ってしっかりと指示しておく必要がある。部下の人達、特に事務仕事を中心に担当しているスタッフの人達は、放っておくと前例や、他の事例を勉強して手際良くＰＣ化に走る傾向がある。この状況になると、関係者全体が「考える」「気づく」「話し合う」機会を大幅に奪われてしまっていることに気づきたい。コロナ禍でさらにこの動きに拍車をかける環境になってきている。面倒な対人調整、相手の話を傾聴することを避けるのではなく、自分の意見も言い、仲間で調整する場面を意識して作っていく必要がさらに大きくなってきた。ここは、上司が各メンバーの特徴を見抜いてタイミング良くリードする活躍場面となる。

第3は、目標、ありたい姿を持ち続ける。

現状把握、現状分析から改善に繋げていくツールとしての「物と情報の流れ図」は、産業界ではよく知られている。ただ、書籍、各種情報が「作り方」に重きを置いたものが多いことに若干の心配をしている。これは、他のツールの教本や解説本でも同じだが、手段が目的化しないように「目指す姿」「ありたい姿」を時々は考えて、改善の継続性を狙いたいと思う。自分自身の経験では、多くがこの「物と情報の流れ図」を書いた時点で「やれやれ」となり、せっかく先に進めるチャンスであり、関係者全員のベクトルを合わせられる機会であったものを、やらずに先細りになってしまったことが多くあった。

「物と情報の流れ図」のひな形にはないが、この現状把握、現状分析、問題発見の過程の中で思い付いた将来のビジョンを忘れないように周りの余白に書き込んだり、別紙に書き出したり、付箋紙に書き留めて貼っておいたりすることをお勧めする。

第4は、「物と情報の流れ図」を作成し、活用できる人財の育成。

トヨタ自主研の活動期間が終わり、通常の改善活動に移行する時にややもすると新製品対応、新たな品質問題対応、新しい設備、ラインの準備とか海外新拠点の準備とかに関心と注力が移ってしまい始めた危機があった。せっかくやってきた基礎作りが、使わないために衰退したり、忘れてしまう経験をたくさんしてきた。

この時は、私自身も含めて「物と情報の流れ図」を自分1人の力で調査、作成、分析できる力を付けようと、得意なスタッフが先生になってもらい、多くの人達に習得してもらった。気を付けたのは、対象の限定。あまり広い範囲を対象とせずに、身近でコンパクトな対象を各自が選びやり切ることで、いい体験ができた。

気を付けたいのは、あまりケチを付けないで問題発見、気づき、継続改善に誘導することだと思った。このツールがわかってくると、ついつい他の人が作成したものの欠点や改良点に気づきがちになる。ここは、「習得仲間の拡大、改善の継続」が主なポイントなので、少し我慢して見守り、聞かれた場合のアドバイス程度が適当と思う。

5　さらにレベルを上げる

「改善のステップ」（第2章）でも話したが、今一度いろいろな方法、手段を使う時の心構えを確かめておきたいと思う。

ＴＰＳ（トヨタ生産方式）の考え方で現場を改善する時に、本や事例に載っている方法を使うことがその時点での自職場の実態に適しているのかどうかを確かめておきたいと思う。私の経験でもあったが、陥りやすいのは世の中で知られている手法を使うことで「改善が順調に進んでいる」と見誤ること。くれぐれも、問題点が既にわかっていたのならば、さっさと改善を実施するべきだ。あれこれやっても、なかなか問題点がよく見えてこない時に、何らかの仕かけやしくみを使うことで新たな気づきが得られる。この時には、その新しい仕かけやしくみを入れて運用をキッチリとやり切ることができるという自信と覚悟を持ってから進めたいもの。ある限定した範囲においてトライをやってみて、感触を見てみるのもいいことと思う。うまくいかなければ、別のやり方に早めに変更できる。新しいトライをしてやり切りもせず、アフターフォローもせずになし崩し的に停滞してしまうことは、避けたいもの。

(1) 工程連結をトライしてみると、何が見える？

各ブロックの前後工程をよく見て、それぞれの前工程の最後と後工程の先頭がどのような状態かをチェックする。それぞれのサイクルタイム差がある程度小さければ、思い切って連結させてみる価値がある。まずは、それぞれの「取り置きのムダ」の排除。関係者で手分けして、物理的に離れた前後工程があたかも連結しているように人力で運搬、手渡しをするトライをしたい。

頭の中でいろいろとうまくいかない想像を考えるよりも、思い切って短時間でもやってみる。初めはサイクルタイムが異なっている前後工程を作業分担の変更などで強引に合わせて工程連結をやってみると、考えていなかったような新しい気づき、問題点が見え始めてくる。少々のロス、悪化があっても新たな問題発見、改善案が見つかれば一時的にトライのための停止があっても、以前よりも良くなってくるという体験を多く経験してきた。

この工程連結のトライは、管理者、スタッフだけでやるのではなくできるだけ多くの参画者を巻き込むことがお勧め。生産現場の班長さん、リーダーの人、段取りをやっている人、調達物流をやっている人、さらには該当ラインの作業員の人達が力を合わせ、実際に汗を流しながら試してみることで次の案も出てくるし、次のトライへの協力も得られる。さらには、変更後の定着、継続改善の体質作りに寄与する。

上位者の方は、まず自ら運んでみることと、後半には参画状況全体に目を配って発言や表情を観察することも、後日有効となる。

(2) ムダの変化に気づく

レベルを上げた改善を進めていく時に、どうしても新しい方法、進歩したやり方の採用をして今まで見えていなかった問題点を発見しようと進めがちになる。手法のエスカレートは、士気が上がるが、その前に改善の進捗に合わせて、「ムダの見え方」が変化してきていることに気づきたい。それは、従来から見えていた中間在庫の多さ、明らかに余分な作業、取り置きをやっているなど、ムダの程度が変わってきていることに気づくはず。また、今まではなかったり、気づかなかった新しいムダや、決めたルールのアンマッチなども出てくる。中小企業の多くは、日々、午前、午後の生産品目が異なるために時間帯によってムダも変化する。

どんどんと新しい方法、進歩したやり方に移行する前に今1度、ムダの見え方を確かめてみると、意外に以前からやっていた方法でもムダの発見、問題点の探し出しができていた経験がある。我々がやっている改善は、階段を連続して登るように順々にレベルアップしていくものとは違って、山の中を歩き回り、時々見晴らしの良い尾根に出て、周辺を眺めて見るように、今までやってきたことと次に進むべき方向を確認し直しながら進めていくものと思う。

また、日々、午前、午後で状況が変わる職場では、ケースごとに分けてムダを見極めていくことが必要となる。このような観点では、同様な生産を毎日継続している大企業よりも中小・零細でのムダの見つけ方のほうが難しく、高い能力が必要になってくる。

(3) 仕事の単位を細かくして平準化し、サイクリックな状態を作る

しばらくいろいろな改善をやり続けてきた途中のタイミングで、仕事、作業の単位をもう少し細かくできないだろうか、を考える。細かくできたら、平準化してみようか、組み換えしてみようか、と気が付くことが出てくると思う。合わせて、サイクリックな仕事の世界に持ち込めれば、現状把握、現状分析、問題発見、改善の立案にも拍車がかかると思う。進み、遅れも見やすくなってくる。

ただ、季節商品が主流だったり、受注生産が多かったりする場合や中小・零細の場合は、仕事や作業の細分化するほどのまとまった量もなく、「早目にまとめてやり切ってしまいたい」という実態も見てきた。納期の切迫度合いにもよるが、比較的猶予のあるタイミングを見つけて、次のためのトライをやりたい。このことは、上に立つ者が意識して指示・指揮しないと進められない。

時々の生産を、毎回同じようにやっているだけではいつまでたっても競争力が上がらない。これは、大企業の連続して平準化した受注環境とは異なった環境。「TPSの真髄は、継続的な改善」と捉えて取り組むこの場面は、大企業では機会が少ないケースであり、継続体質ができれば、大きな競争力となる。単品受注の形態である場合には、売

価は市場の状況、競合の動きによって左右される。工場サイドとしては、この間にコスト競争力を付けるチャンス。大規模で継続した受注を獲得できる場合は、その受注時に売価レベルからのコスト目標が与えられるが、単品受注の場合は、個々の受注、失注の「波」に慣れてしまって知らず知らずに競争力が落ちてきてしまっていることに注意したい。工場側で先取りしたアクションが必要となる場面であり、コスト改善努力を次の受注に活かすチャンス。

（4）負荷を変えてみる

ある程度の改善素地ができてきたという前提だが、改善の継続と進化をギアチェンジしたい時が訪れる。そんな時に、負荷を高めたり、競争原理を使ったりといろいろ試してきた。うまくできたものもあるが、大抵は苦戦しながらトライ&エラーで作り上げ、中間で活躍してくれた工場長、課長に助けられたものが多い。

事例に入る前に、別のお話を少し。

私は長くサッカーをやってきていて、その活動を大きく分けると「普及、育成、強化」。「普及」は幼少者、女性、シニア、心身障がい者などへの取り組みをやっている。

「育成」は小学校高学年あたりからの体の発達と合わせた難しい時期となる。とかく勝利至上主義に傾きそうな年代での育成活動にはサッカーだけでなく他のスポーツも見直しているところ。学校の部活動との関連も難しい課題となってきている。「強化」はわかりやすい。

さて、「育成から強化」のレベルで気になるのが、「プレッシャー」に対して耐えられるテクニック、戦術を持っているか？　最近の言葉では、「インテンシティ（強さ、激しさ）」という言われ方もされる。中高生の試合を見ていると相手のプレッシャーが少ない時でのボール扱いのうまさやパス、シュートの正確さをよく見るが、プレッシャーが強くかかってきた時にはできる、できないの差が大きくなってくる。また、私は、イングランドで生の試合を多く見てきたこともあり、イングランドサッカーを好んでいる。たとえプレッシャーがなくてもあのトップスピードでのトラップやパスの正確性は凄いもの。野球のことはよくわからないが、内野手へのノック練習の時のノック打球のスピードも変化させているんだと思う。

新しいレベルに引き上げていく時には、負荷を増大することをスポーツの世界からも理解している。

事例（1）―短期決戦の競争からチーム力発揮……「エバリンピック」

エアコンの製造現場での話。

毎年の年末から年始には長期の会社休日があった。その時には、この機会を逃すまいとたくさんの大工事、レイアウト変更などをやってきた。何もやらない部署、ラインもあったがどの部署でも連休明けの前日である長期休暇の最終日には、生産現場の責任者や主だったメンバーが出勤して掃除、給油、次の日から動き始めることを想定した試運転をして、確認ができたところから引き揚げるならわしだった。これは、前の部署でも、夏休みでも同じ。

さて、正月の初出勤日には通常の始業とは異なって、朝一番は社長挨拶、部内のイベントがあり通常よりも30分程度の後にはそれぞれの部署に戻って生産開始となる。それぞれが「よーい、ドン」でスタートできる場合もあるが、前後工程が密に繋がっている場合は、ワークなしのために手待ちとなってしまうケースもあった。私が若い時には、生産技術の所属で、正月の初日・午前中は各生産現場を挨拶回りすることが習慣化していたので、あまり違和感もなく、取り立てて生産性についてやかましくも言われず、受ける側も前述のように負荷が少ないケースもあって受け入れてもらうようなノンビリムードがあった。

いざ自分が製造部の責任者になって、年末まで頑張って続けてきた稼働率向上、生産性向上、改善とやってきたものが黙っている間に2、3時間のロスになることを無視できなくなった。また、せっかく休日出勤して準備活動までしておいたのに残念なことだった。

そこで、ある年の年始の初出勤日から「第1日だけの稼働率競争」を考え、部の費用で賞品も用意した。前日の準備の記憶もはっきりしていて、各部署の気合の入れようは凄いものだった。当然、この習慣は毎年続くこととなり、長期連休の最終日の活動の「質」も変わり、夏休み明けにもいい影響が繋がった。

非常にうまく開始できたものだ、と喜んだ時に知ったのは、ある部署ではちょうどこの頃に別の活動があって、素地ができていたことだった。これが、「エバリンピック」。複数のラインを持つエバポレータ生産職場だけの稼働率競争を工場長の松村清明さんが始めてくれていて、正月休み明けの稼働率競争がスムーズにできた理由に納得した。この機会にコンデンサ、コンプレッサの工場も一斉に始めることができて、部活動にできた。

結果的には、先駆者の下拵《したごしら》えに長期休暇明けのニーズをくっ付けて効果の大きいものにできた。

この活動は、エバポレータなど製品グループごとに毎月の活動に定着し、表彰対象項目も稼働率の他に、各部署で工夫したものが加わっていった。この毎月の活動日のために、それぞれで準備活動が考え、進められて身近な目標もできて改善活動として定着する大きなキッカケとなった。競争環境の作り方は、程度によってはエスカレートして、弊害が出てくるリスクもあり、慎重な運営が必要だがある程度の追加負荷、競争環境を作ることの効果は再認識した。

事例(2)──やる気が起きる目標を掲げる……ノンストップ活動

コンプレッサの組付けラインは、他部署、仕入先で本体が組み立てられたものにマグネットクラッチを組付けて最終品とする工程。搬送用のベルトコンベヤの横に配置された設備群と、手作業場で構成されていた。10秒以下のサイクルタイムで20人程度の作業員で生産していた。ここでは、慢性的に頻発停止(チョコ停)が起き、アベレージとしては生産対応ができているものの抜本的な競争力アップとはならない状態が、先代より長く続いていた。時々、新人が投入される場合にはライン全体のロスが大きくならないようにするため、経験則として指導員が付いて、補佐しながら実ラインで作業指導しているのを見て、いっそのこと徹底的に補佐したらどうなるんだろうか?……と思うようになった。

ちょうどこの頃、他の製品の生産部門では「検査不良ゼロ活動」「2次漏れ検査全廃運動」など「ゼロ化」にこだわったムード、風土が盛り上がってきたので賛同者を増やすことは比較的容易だったと思う。

やったのは、「ノンストップ活動」。この名称は以前より「『やる気』が起きる方程式

＝（A）×（B）」を思い出しての産物[※2]（詳しくは、第6章）。

これを参考に、「無停止」という一度も味わったことのない世界で、やれたらスゴイなあ！　カッコいいなー！という「目標の魅力度」としては、ピッタリだった。また、達成の可能性もインチキではあったが、補佐員を一時的に投入することで「できないことはなさそうだ」という感触は職制の中にもあった。この現場としては、長年の間、同じような頻発停止が連続する世界に飽き飽きしていたことも、新しい試みへの好奇心の掘り起こしには追い風だった。

毎月1回だけ、ある時間帯の2時間程度に限って、工場長（下問洋一さん）以下関係職制、班長、リーダー、経験者を募り組付けライン内や周辺に陣取ってもらった。「絶対に止めない！」という合言葉は何度も言わなくてもすぐ全員に浸透し、それぞれが考えて動き、無停止を実現することができてしまった。予想通りに問題点がいっぱい打ち上げられてきた。多くがすでに一部の人達は知っているけれど、手が付けられていなかったことだった。今まで気づかなかった問題点も数点出てきた。また、組付け作業だけでなく部品投入のちょっとした遅れがラインストップ寸前となり、大慌てしたこともあり、改善対象エリアは広がった。

機種変更時、段取り時には大きな声で次の工程に声かけするチームワークも自然に出てきて、全体として「絶対止めない！」を達成するためのハードだけでなく、人間のマインドの部分も大いに変わった。

その後の改善活動には、あまりあるネタが提供され継続改善には大きなキッカケとなった。

少し驚いたのが、一般作業員の「生の声」だった。さぞかし無停止のために従来の少しずつライン停止していた時に比べて作業密度が高くなって疲労が増えただろうと思っていたところ、2、3人の作業員から「無停止のほうがリズムが良かった！」という返事が返ってきた。この時は、つくづく自分が現場で一緒に直接作業で汗をかいていなかったことを反省させられたものだった。

この「リズム」については、他の生産現場でも連続作業がぶち切れとなっていることがあり、なかなか定量的に測定できない大切なポイントなんだと痛感し、その後の改善への良いヒントとなった。

この「限定時間での無停止トライ」の後に、通常の編成に戻すと頻発停止が減ってきたという事実があった。分析しておけばさらなる改善に結び付いたと思うのだが、当時はサボった。残念！

※2 「やる気」の高さ＝「目標の魅力度」×「達成の可能性」：出典は『部下の「やる気」は上司で決まる』小笹芳央著

こうした膠着した状況を限定時間だけでも思い切って状況を変えてしまうと、新たな問題点もたくさん見えてきてネタ出しができるだけでなく、人間の体、頭の中がリセットされたりギアチェンジすることができることを痛感した。

中小・零細企業での同様なトライは、まだやっていない。読者の皆さんのトライに期待している。広い範囲や、長時間の作業という状態は少ないと思うが、ごく限られた部分だけでもトライしてもらうと、今までとは明らかに違った世界が見えてきて、作業している人達の気持ち、意識も変わるチャンスと思う。

（5）風景を変えてみると、新しい問題が発見できる

事例　景色が変われば、人の心が動く！……部品運搬台車

農建機向けの小型車用エアコンの組付けラインでの事例で国内子会社のもの。

長い間、コンベヤラインをストレートに配置してベルトコンベヤの片側に組付け作業員が配置され、反対側から部品が供給される構成。本社での乗用車用はそのスケールメリットもあり、ロボットの活用、自動化、自動搬送等で合理化したが、農建機のような少量・多機種であったり季節変動のある状況では平準化が難しかった。

また、製品の形状、部品の種類も各客先ごとにバラバラで標準化とは程遠く、部品投入の間口は膨大になり、１日の中でも入れ替えする必要もあった。少量・多機種生産が故の頻繁な段取り替え、機種変更があり部品投入者は部品置場との間を走り回っている状況。時には、部品の投入遅れによって組付けラインにブレーキをかけることもあった。

この会社は中規模（５００人程度）であったが生産技術屋の面々は新しいことを勉強したり、チャレンジが好きな仲間でいろいろな会社を見てきては、新しい取り組みを考

える集団だった。それに加えて製造全般をリードする取締役・西山宏さん（現・社長）が生産技術の出身ということもあり、ずいぶん発破がかかっていた。このトップに引っ張られて新しいチャレンジをしてくれたのが、生産量、機種ごとの工程数によって伸縮する組付けエリアに部品を自動供給するユニット。

初めは、イレクター製の運搬台車、床に貼った磁気テープ、部品供給用の「お盆」……と全て生産技術屋の手作り。面白かったのが、当初は受け身だった組付けラインの責任者、班長、部品投入者がそれぞれ改善の最前線に参入して一緒に始めたこと。自分達の使いやすいように、製品の多くのバリエーションに対応できるように小物の道具立てを工夫したり、また「まずは、段ボールで！」と段ボール紙とナイフ、ガムテープでいろんな机や、物置台、作業台、部品投入シュートや空箱返送シュートを作ってテストし、作り変えて再トライを続けてくれた。

ある程度の改善が進んだ段階では、生産技術グループは情報処理エリアのサポートに対象を広げ、部品調達をドッキングした理想の伸縮型組付けラインを作り上げてくれた。その後は、小物部品の整列置きにこだわり、員数管理、必要数だけの供給、作業位置までの搬送を実現して、従来のコンベヤラインやコックピット生産方式、屋台方式ではできなかった組付けミスの防止、定位置作業、定位置取り出しをやれるようになった。

方式の良し悪し、成功確率やメリット・デメリットを考えるよりも「まずは、思い切って景色を変えてみる」ことがハード面での問題発見だけでなく、心理的・精神的にも当事者の気持ち、意識を大きく変えることができる。一旦「景色を大きく変える」ことにより関係者の複数の目による問題発見や、改善意欲が呼び覚まされたようだった。

やはり改善は、単純な物理的に見える問題点対策だけではなくて、当事者の気持ちという見えないものに火を付けて一人で歩けるようにしてあげることも大切と思った。すなわち、改善の後半では如何にメンバーの「心に火を灯す」ことができるか？　できているか？が重要になってくる。

人は心が動かなければ行動に移らない、心を動かせれば自分で行動開始する、……という先人の教えを思い出し、「継続する改善」の大きな要素であると思う。

海外でのこのような活動は、未だ経験がなく、読者の皆さんのチャレンジに期待。「これぞ、日本のモノづくり！」と言えるような力は海外を含めたマザープラントとして日本の中で維持、進化させてほしいと思う。言い方を換えれば、日本のモノづくりの向かう姿は、生産現場での「ハード＋ソフト＋マインド」をベースに製品設計と生産技術がコンカレントに活動できること。この強みを発揮し続けたい。

（6）在庫へのアタック、第2弾

第3章の基礎段階において「3章2の（3）事例」で「在庫を分解して……」という話を書いた。応用段階として、中小・零細企業や、受注生産が多い生産形態での応用方法について書いてみる。

少し復習になるが、在庫を以下のように分類すること、またはこのような意識に変わっておくことが前提となる。

分類の内訳は……

① 通常分
② 振れ対応分
③ 直差・休日差分
④ 非常手持ち

持たないのは「安心分」。俗に言われるのは「安全在庫＝非常手持ち分＋安心分」。

このような「在庫を分解して考える」ことは、中小・零細企業でも同じように使える。配管部品、バルブ業界でも同じ。鋳造部品、極少量部品などでも応用できる。ただ、自動車部品業界のように客先との中・長期的な良好な連携関係、系列関係がある場合とは異なり、1品ごとの受注勝負だったり、仕入先との関係も大きく異なる。特に、鋳造ロットのサイズ、素材の供給難易度を加味し、全面戦争ではなく、狙いを定めて1つひとつ対応、改善してその結果・成果を確認し、改善の過程を味わい、次への応用を考えるように誘導していくことが大切と思う。

自動車関連では、仕入先の多くが「無理を聞き入れてくれる主従関係」であった。しかし、大型車両、事業所用エアコン、季節商品などを扱った中規模の製造拠点では、購入部品の多くを大手企業から少量を購入する立場となり、在庫の持ち方も大きく異なり姿勢を正された。仕入先とのコミュニケーションを密にしながら、思い切って在庫の内訳（①、②、③、④）を決めてみることで、スタートができる。忘れないようにしたいのが、「問題点が見つけやすい在庫量の設定」であり、改善のスタートとして活用すること。

この段階で出てくるのが、在庫の設定を変えて思い切った改善を進めたいが、想定しにくいリスクへの構えが欲しいこと。その時の逃げ道は、TPSの専門家には言いにくいが現実論としてある。それは中途半端な「甘い目標」を設定するよりも、やりたい改革、改善目標を堅持し、トップ承認のもとで「凍結在庫」を封印して持つという手。実際に数回の経験がある。失敗もあった。凍結在庫の設定、封印解除の決済方法等までの準備をしたものの、半年以上に時が経つと曖昧になってしまい、計画通りにはいかなかったことが多かった。

目に見えて、現物を見えるところに置くと関係者全員への意識合わせ、ベクトル合わせがやりやすくなったものだ。

読者の皆さんの新しいチャレンジ、トライに期待するところ。

事業分野によっても、その環境の違いで「在庫の持ち方」は大きく変わる。私の限られた経験では……

(A)乗用車用部品を車両組付けメーカーへ直納。例：昼夜で22便／日。
(B)非乗用車、バス、トラック、農建機メーカーへの直納。
(C)車以外の事業所用冷暖房機器。
(D)医療機器。
(E)配管関連の部品、販売会社経由と客先への直納。
(F)船用部品の直納、販売会社経由。
(G)水産業、農業分野へ配管部品の納入。

……これらのバリエーションから、まとめた標準解はできない。

読者の皆さんに、この場では仮想体験していただいて自職場での「在庫の持ち方」を考え直すキッカケとしてもらえればと思う。以下に事例を示す。

(A)乗用車部品の直納は、今から考えれば時間に縛られた厳しさはあったが、考え方は整理しやすく、すっきりしている。5〜6年以上続く同一モデル向けの製品を一旦受注できれば、この期間全てにおいて車両の売れ方には左右されるが、見込みが立てやすく腰を落ち着けた改善が続けられる。平準化度合いも、新モデルの立ち上げ時の急増や、モデル末期での漸減は経験的に心構えができる。

(B)非自動車分野では、乗用車に対してモデルライフ期間が長いという良環境があるが、季節性も出てくる。補給品も多く、多機種の傾向。

(C)車以外の分野では、モデルチェンジのタイミングは長短バラバラで、毎年のマイナーチェンジにより、互換性のない状態も覚悟せねばならない。家電製品のイメージ。年を跨《また》いだ製品在庫という観念はほとんどない。販売会社との協議による見込み生産や販売期終盤での急な受注対応など、平準化とはどんどん離れていく世界。販売も売り切ってしまうという難しさを抱えている。このような環境で生きていくために、安易に在庫数確保に逃げると生産期間でのモノづくりにおける問題点が隠れてしまい、知らず知らずに体質が弱ってしまう。

（D）限定した開発商品だったため販売元との協議で生産量を決めた短期間生産。MRP※3の世界。

（E）配管部品では、規模が小さく大手の同業とは異なったロングテール事業であり多種・少量事業。受注は、在庫品販売と個別単品受注（物件ものの複数もある）のミックスであり、製品在庫の持ち方、部品在庫の持ち方には、それぞれに別の対応が必要。ただし、在庫品販売と個別受注には重複したものが多く、簡単には決められない世界。例えば、フランジ結合する部分はその使用圧力に応じて形状が異なる。本体のボディー部分は共通である鋳造部品のため、フランジ部の加工を残した状態まで他の部位を加工し、受注後のリードタイム短縮を狙っている。ここでも、共通素材の発注の仕方、素材在庫、中間加工完成品在庫、完成品在庫の持ち方を考えて決める。

この状況での、「問題点が見えなくならない程度の在庫量」を前出の在庫の分類（①、②、③、④）のようにはできないまでも④の非常手持ちという分類では、改善に結び付く信号が出てきそう。

また、在庫量が受注の成否と直接的に結び付いてくることを考えねばならない。改善を目的にできるだけ在庫を減らして、問題点を見つけやすくするという取り組みとは別次元。同じ在庫量にタッチするため、十分に配慮が必要。

「気づかなかった失注」という事例で理解いただきたい。

客先や販売会社からある機種の引き合いが来た場面を想像。価格については過去の実績などにより、この引き合いの「始まり時」には後回しとなり、ポイントは納期となる。電話、FAX、メールで「〇〇製品が欲しい、いつ（月／日）入手できますか？」というのが一般的。お客様は急いでいて、いちいちこちらの事情をグダグダと話している余裕はなく、納期の数字だけを即答せねばならない。返事後に一旦電話が切れ、再度の電話で納期の短縮要求があったり、価格の確認、交渉があればうまく受注に繋げることができる流れ。しかしながら、「始まり時」のファーストコンタクトだけで、その後は何の連絡がない場合もある。多分、お客様は他社、他のルートに同様な問い合わせをされて希望納期への対応具合を比較され、他社に発注されたものと思われる。「気づかなかった失注」。このような生の情報を集めて製品在庫量を変更したり、中間加工品の在庫、素材在庫をこまめに修正していくことが肝要となる。

特に中小・零細企業では、1個ごとの受注の成否の積み重ねが経営に重くのしかかる。「在庫」へのアプローチが（A）～（C）と比べて大きく異なる。

※3　MRP（Material Requirements Planning System）資材所要計画
MRPは、中央の生産計画指示が全工程に出されていく「PUSH方式」
TPSは、後工程引き取り後補充型「PULL方式」

（F）、（G）については、前述の（D）のケースに似ている。

在庫管理の良し悪しは、在庫量設定だけでなく関連する状況がどんどん変わるため、週単位、月単位のメンテナンス作業をサボらないことが大切であると思う。工場関係者、特に最前線で頑張ってくれている人達には、何回話しても日々の「在庫切れでのドキドキ」を避けたい欲望は少なからずある。このため、見ていないと知らないうちに増えてしまうと思っておいたほうがいいと思う。

工場管理者、経営者が現場で在庫の量を見ても気づきがない場合は、在庫切れ、入庫待ち、遅れ挽回中などの「メモ紙」を日々の巡回の中で見つけ、状況を聞く。そして、何を助けてあげられるのか、根本原因は何か？……と動いてあげることが、間接的にトップの関心事であることを伝達できる。また、「メモ紙＝異常信号」という報告が黙っていても上がってくるのかどうかが、生産会社での運営状態のバロメーターとなる。

長い間、異常報告が上がってこない場合には、違和感を持つことが大切。報告を上げないスタック、管理者を叱責するのではなく自らが情報伝達の改善をテーマにして変革を仕かけるべきと思う。

(7)「しくみ」を使って、問題点を見つける

事例(1)――定期不定量、定量不定期

事例の舞台は、エアコンの大物部品である本体ケースやファン、シュラウドなどの樹脂成形部品を射出成形する設備主体の生産部署。以前にはラジエータ用プラスチックタンクの射出成形現場でも同様なことがあった。

450トン〜550トンクラスの射出成形機を各組付け工程近くに数台から十数台を配置して生産している。この工程における「仕かけのしくみ」の例。

一般的に部品・材料を発注する場合には、その段階で使われる4つの分類がある。

①定期定量
②定期不定量
③定量不定期
④不定量不定期

中小企業でも使いやすいのが「定期不定量+定量不定期」。

段取り改善がそれほど進んでいない場合には、理想とする生産方法に取り組む前に現実的な方法となる。機種、品番数が多かったり、それぞれの量の差が大きかったりする場合には合っていると思う。ポイントは、量がまとまり頻繁に生産負荷があるものと少量品グループを分けて同一設備、設備群で対応するもの。

前者「定期不定量」とは毎日、または毎週決めた時間帯にその時の必要数を仕かける。後者「定量不定期」とはある程度、段取り実力に合ったロットサイズまで必要数量がまとまった段階で「一定数」を仕かける。このように時間帯だけ設定、確保しておいて、どの機種・品番を仕かけるのかはその時のニーズ次第。

キチンとやろうとすれば、中量・少量品の後工程から発信される必要数を「かんばん」等を使ってロット形成する。そして、パターン仕かけポストを使って次期仕かけに反映する。ただし、何からどのように仕かけるのかが決まらずに経験的な割り付けや、勘でやっている場合には、1つの方法としてモノづくりの基本的な仕かけ方法として一旦、落ち着かせることができる。

対象とする期間（日または週）の中に生産パターンを決めて、定期不定量対象品の時間帯を確保する。その後で、定量不定期対象品の枠を確保する。それぞれの順序は段取り替えの実力、内容によって相《あい》前後させることもできる。これをやっていくと、段取り替えの改善ニーズがどんどんと出てくる。また、機種・品番ごとの改善取り組みに対して優先順位を付けることが容易になってくる。

出回っている参考本には、次々としくみのレベルアップがエスカレートされていくが、くれぐれも目的である「問題点を見つけて改善する。これを継続する」ことを念頭に置いておきたいと思う。

第4章の冒頭でも示した「改善のステップ」を時々思い出していただきたい。従来の「しくみ」を導入した時の製品構成や作業している人の変化を受けて、問題点の見え方、内容が変わってきていないのかを確認する必要がある。時々のメンテナンスができているのかも大切。

もっと言えば、モノづくりの力、レベルはそこに採用している「しくみ」で評価されるのではなく、コスト競争力や将来、変化への対応力を持ち続けるために「改善の継続できる力」を持っているかが大切であると思う。

事例（2）――「後補充生産」導入の前に気を付けたいこと

「後工程引き取り、後補充生産」は、一般的によく知られ、使われている生産のしくみ。ただし「改善のステップ」でも示したように、基礎的なアプローチをトコトンやって、どうしても問題点が見つけにくい状況まで到達しているのかがポイント。この時に、新しい仕組みの導入が1つの案となる。私の経験では、後補充生産の導入を急ぐあまり、手段の変更が目的となってしまい、長い期間にわたってしくみの導入、定着、メンテナンス体制づくり……に没頭して改善が遠ざかっていたことがある。

通年で平準化しやすいモノづくりができる工場とはなりにくい一般的な中小・零細企業では、しくみの使い方に注意が必要。

TPSで象徴的に扱われる「かんばん」や平準化されていない受注を「平準化ポスト＋ちょろ引き」で平準化レベルを変えることはできる。加工された「売れ情報」を頼りに生産対応できても、他の季節商品対応での都度の組み替えや引き当て品生産量の変動のためにメンテナンスが必要となる。これをしっかりやらないと目的とする「問題発見から改善に繋ぐ」ことからは遠ざかってしまう。新しい生産の仕組みの導入が、手段ではなく目的となってしまう。調達物流の分野でも、自社が仕入先に対してどれ程平準化した注文を出すことができるのかを見極め、維持できる覚悟を持つことが大切。

単品受注対応が多い配管部品業界での経験では、受注品対応をPUSH式に進める生産と、受注品の途中工程までを先行させて中間在庫を持ち、在庫品販売対応に合わせた後補充生産する方式が同居、混在した。最前線の生産現場、生産管理部署のメンバーの理解力を考えて、それぞれに適した問題点探し方法を見つけたい。特に、担当している人物が2つの異なった方式を使い分けることは、大きなチャレンジになる。

第5章

自己管理

改善を推進する、特に「改善を継続する」ためには構成メンバーの自己管理レベルが大切になってくる。通常のルーチン業務では、ある程度は手順が明確になっており、マニュアル整備も進められていることと思う。これらの仕事の仕組みの中に自己管理、他部署との連携をキチンとしていくポイントが入っていると思う。また、プロジェクト業務、特命業務などでは推進責任者が明確になっていて、その人のリーダーシップによって進捗管理、運営がなされるケースが多いと思う。

この章では、普段から主業務と並行して継続的に進められている改善活動について、その運営に関する自己管理とメンバーそれぞれの個人の自己管理について書いていく。

1　PDCA!?

品質管理の基本として、「Plan，Do，Check，Action」を学び、仕事の中でも常にこのPDCAサイクルを回し続けることの大切さを身に染みて体験してきた。

改善活動、その中でも継続した改善活動の中ではPDCAサイクルを細かく回すことが大切であると痛感している。もちろん、中長期的な目標に向かって長いスパンの計画から始まる大きなサイクルもある。現実には、ある程度の計画、スケジュールが決められると、メンバーとしては人間の弱さ、サボリグセもあってその大方針、錦の御旗に付いていくことに甘んじてしまいがち。日々の役割をこなすことで、周りから非難やお咎めを受けることもなく過ごせてしまうところがある。こういった状況では、キメ細かいＰＤＣＡが省かれ、知らないうちに進行が遅れたり、期待される自発的な活動が起きにくくなるケースがあった。

改善をし続ける場合では、各指導者が特に意識を持って小さくても頻繁なチャレンジ、トライ、これに伴う失敗を分かち合い、その原因を分析、考えて次の活動に活かしていく機会をたくさん作ることが大切となる。

また、一般的な仕事の中でのＰＤＣＡの徹底については、よく先輩や上司から冷やかされたのが「ＰＤCA」。すなわち、計画を立てて、やり始めるまでは順調で勢いがあったが、その後がダラダラとして、メリハリのないやり方や、やりっぱなしだったことを捉えて、「Check，Action」が小さいと指摘されたものだ。いろいろな業務、仕事を並行して進める時、それぞれが錯綜しているのは普通のこと。あれもこれも言われたらすぐやらねばならないし、フォローされればそれが優先してしまうという経験はたくさんある。自分自身の自己管理の弱さを痛感しながら、自分が上に立った時の優先順位を考えたフォローをすることや、それぞれの段階でのＰＤＣＡサイクルを回す意識を持ち続けることを心がけたいと思う。「ＰＤCA」というのは、強烈な皮肉だったが見た目には直観的に自らを戒める絶好のビラだった。

1つのコツとしては、計画立案の段階においてスケジュール表に「中間チェック」「見直し」「反映」の矢印を入れたり、「再トライ」の時間確保等を予め想定して書き込んでおくと、少しは助かる。

2 プロフェッショナルは、プロセスに拘りたい

先にも書いたが、ルーチン業務はそれなりに定着した手順の中にそれぞれの管理がプロセスと結果両方になされるように仕組まれていると思う。プロジェクト業務、特命業務はリーダーによるコントロールがなされていることが多い。通常の生産活動をやりながらの改善活動は、ややもすると結果重視となる傾向がありプロセスにも目を向けてもらいたいと思う。また、人の管理、評価という面ではプロセスをよく見て、その成長を評価してあげフィードバックすることが次への躍進、パワーに繋がると思う。

少し舞台を変えて……ゴルフの話。興味のない方は別のスポーツに転換して想像してみてもらっても結構。我々の多くはアマチュアゴルフを楽しんでいる。スコアを気にして競っている方々もいるが、私は専ら「今日、一番」が数回でることに喜んだり、空気のいい草原を友人と楽しく歩き回ることに大満足している。ある時に、近くでトーナメ

ント試合があり、ギャラリーとして見物に行った時の経験。名プレーヤーがグリーン手前30ヤード程度のラフからグリーンのピン傍を狙ったアプローチショットをした。これが、5ヤード程ピンをオーバーして、グリーンエッジのカラーで止まった。その直後にこの選手は、ボールの位置に移動するのではなく直前のアプローチショットの場所で、難しい顔をして何度の素振りをしていた。私の場合は、ボールの頭（上部）を叩いてゴロの打球となってしまうことがあり、時々だがこの打ち損じのゴロがどんどん転がって、グリーンに乗りピン傍で止まってくれることがある。いわゆる「結果オーライ」。相手のあるスポーツでは少ないかもしれない。個人プレーの経験の中では、登山、スキューバダイビングでは、「結果オーライ」はありえない。命の危険が迫ってくる。

さて、我々のモノづくりの世界に戻ると、我々は「モノづくりのプロ」。したがって、結果だけでなく、プロセスにも拘り、大切にしたいと思う。4つのパターンを並べると、

①結果＝○　プロセス＝○：問題なし。

②結果＝×　プロセス＝○：計画、作戦、戦術の見直しが必要。

同時にメンバーの行動は別に評価してあげて再度のチャレンジを応援し、期待する。

③結果＝○　プロセス＝×：これが問題の「結果オーライ」。仕事ではあってはならないこと。厳しく指導すると共に、結果の見方も細分

化するなどの工夫が必要。

④結果＝×　プロセス＝×：当然の結果。プロセスの中にどこかチャレンジ要素があったら見つけて評価してあげたい。管理者・上司としては目標の決め方、与え方を反省することが必要。

3　施策の妥当性は？

前項の「プロセス管理、結果管理」でも書いたが、結果の反省をする場面では、方策として考えたり、狙ったことが目的の達成にとって妥当であったのかどうかを自己チェックすることが大切。結果だけに偏らずにプロセス面でも謙虚な振り返りが必要。新しい施策を実施する時には、初期の段階では機能するものの途中から効果が小さくなる場合も多くあった。これはメンバーの怠慢だけではなく生産品目の変化、量の変化、構成の変化に対してやり方の調整ができていなかったケース。一度始めたやり方、しくみがそのまま変えずに有効であり続けることは少なく、時々のチェックやメンテナンスが必要となる。放置しておくと、「手段の目的化」と非難されることになりかねない。外部からは、当事者の事情、現実とは別に「べき論」としていろいろな指摘、アドバイスが与えられ、好事例の紹介もある。しかし、どれを採用するのかは、当事者のリーダーが自らの責任で決めること。

外部からのアドバイス、意見には貴重なものが多い。抵抗したくなる時は、実現性を近視眼的に考えたり、やり難さとの天秤にかけていることが多い。謙虚に聞く耳を持ち、冷静に施策の妥当性を考え、決めることが必要。また、内部に「反対意見を遠慮せずに打ち上げてくれる仲間」を持っていることは、大きな助けになる。

4 どれ程身に付いたか？

改善活動を進めていく過程で、中間的タイミングや節目ごとの力量評価が大切。これは、客先からの評価やコンサルタントに頼むのではなく、まずは自分自身で謙虚な姿勢で自己評価、自己チェックして今後への反映事項を探したり、将来への課題出しをしてフィードバックしたいところ。このような目的なので、自己満足レベルの甘い評価をしても、次へのネタは見つからない。もちろん、外部からのコメントも自分達が気が付かなかったことを指摘してもらえるメリットは大きいわけだが、時として自社のモノづくりの実態をそれ程理解されずに一般論であったり、他の好事例との比較論であったりとなる場合がある。活用の仕方、受け止め方に考慮が必要。

「どれ程身に付いたのか？」の視点を2つに分けて書く。

1つ目は、組織として仕事のやり方の適切さやしくみの有効度合い、さらには構成員の連携、コミュニケーションの程度に着目したい。

もう1つは、各個人の力、姿勢。その中には人としての質《たち》、資質によるものや育ってきた育成状況によるもので変わりそうにないこともある。それらに対して、改善活動や同時進行している業務、生産活動の中で身に付いてきた能力、姿勢を見て評価する必要がある。

(1) 組織、仕事のやり方がどれほど進化できているか？

地道な改善活動は、他の活動と比べてボトムアップとなることが多く、同じ組織でやっているトップダウン色の強い業務とは区別して改善活動にフォーカスして、ボトムアップ具合を見極める必要がある。私自身の反省では、トヨタ自主研の本番ではどうしてもトップダウン気味の運営が強くなってしまい、本来の継続した改善活動という状況ではなかった。中盤から後半にかけて、思い直しボトムアップに舵を切った覚えがある。これは、他の仕事においてもトップダウン先行からボトムアップをミックスしたり、尊重するように変化していくマネジメントはなかなか簡単にはできず、意識した

「任せる」動きが大切になってくる。

問題点を見つけやすくするための「仕事の仕組み」についても、「改善のステップ」（第2章－1・30ページ）で書いたように、手段が目的とならないようにその場、その状況に合ったしくみであることが必要。したがって、「仕事の仕組み」を活用している妥当さを都度確認すべき。変化への対応がし難くなっていたり、段取り頻度やロットサイズなどがその時々に合わなくなって調整できていない場合がある。これらへの対応力の差が「どれ程身に付いているのか」の尺度にもなる。

(2) 各個人の力、姿勢は変化してきているか？

各メンバーにどれ程改善活動が身に付いてきたのかを考える時に、まずそのベースとなる1人ひとりのことを理解しておく必要がある。

①はじめに、人としての質、資質。これは生まれつきであることも多く、他の人と比べたり、自分や会社の立場であれこれと評価し、向き不向きを言うべきではないと思う。その人の人間性として尊重することが大切と思う。よく理解しておくことが大切。

②次に幼少期から身に付いた資質、力、感性がある。①の質にも関係すると思うが、小さい頃からの家庭環境や社会環境によって、日々積み重ねられ形作られてきたものがあるはず。このことは、身近な家族であったり、成長の変化が速い孫をみていると、よくわかる。
会社で仕事を共にしている仲間の小さい頃からでき上がってきた感性、気持ち、姿勢といったものは、人によって大きな差があり仕事での能力向上を上乗せする前のベースとしてよく理解しておくことが大切と思う。

③日本の社会としてほぼ共通する資質、力、感性もある。
これは海外での出張、出向経験からも身をもって実感している。他国に比べて日本人の優れているところを遠慮せずに、その強みを日本のモノづくりに活用していきたいと思う。

このような日本人にとって平均的に持っている資質は、今後の日本のモノづくりを強く、強固なものに維持し続けるために大切な要素だと思う。逆に言えば、技術、知識、技能等で他国に追い付き、追い越されても真面目に、勤勉に働き他のメンバーを尊重し合い共同作業できる特徴は他国に勝るところで、ここを伸ばし、活用しない手はない。

④最後に仕事、改善活動の中で身に付いてくる資質。

改善活動は、独立した個人でやることは少なくて、それぞれの局面で個人の力の育ち具合を見極めるのに苦労する。改善活動のまとめの段階で報告する場や上位者に知ってもらう時には、とかく紙面やプレゼン視覚画面というアウトプットとスピーチ、質疑応答具合で評価される場合が多くある。この場面では、アウトプットや対応能力によりそれぞれの育ち具合が見られる。

ここで、忘れないようにしたいのが「問題点を見つけ出す力」。何度も言っているように、改善のスタートは、問題発見だ。問題発見とまではいかなくても、今の姿に何らかの違和感を持つことも大切な力。また、想像力と合わせて新しいものへ挑戦する姿勢や好奇心を持つことも貴重。

メンバーに対して工場管理者、経営者が小さくても、1つひとつの問題発見にこまめに反応し、対応してあげることが次への活力、やる気に繋がるものと思う。

コラム　日本人の特質（サッカーの目）

近年、日本のサッカーは他国に比べて対等に戦えることが増えてきました。これは、「普及、育成、強化」の確固たる運営と、Jリーグを中心としたトップへのサポーターの参画とスタッフ、選手達の大変な努力と熱の成果と思います。

代表チームの試合の中でも得失点だけでなくゲーム内容も上位国に迫ってきております。前々回のロシアでのワールドカップで予選リーグから決勝トーナメントに進む時の順位付けに勝ち点、得失点差などの外にフェアプレーポイントがありました。このおかげで優位な順位付けで進むことができました。このポイントは簡単に言えば、警告（イエローカード）や退場（レッドカード）の数により算出されます。この物差しは、国内のJリーグでも採用されていて毎年の表彰があります。日本の強みは、このフェアプレー精神であります。同様に国際試合時の役員・スタッフやサポーターがロッカールームを使用前状態までキレイにしたり、応援席の清掃をあの青色のゴミ袋で自主清掃したりしている姿は、他国と比べられて高評価を受けています。相手を尊重すること、リスペクトすること（相手のことを大切に思うこと）や「利他」の心を根底に持ち続けることが強みになっています。

5　反省、課題作りと次への反映

ＰＤＣＡの中の「Ｃ」（チェック）は、大切なステップ。改善活動がうまく進まなかった時、結果が思うように出なかった時には、そのプロセスを中心に要因分析をして修正、変更して、挽回策を考え、決める。この分析には、品質不具合への活動でよく使う「なぜなぜ分析」の手法が役立つ。品質問題対応のそのままズバリの手法を活用するだけではなくて、ここではその姿勢について書く。

仕事の進め方について、プロセス・結果のチェックをする場合は次へのアクションに結び付けることが大切。このためのキーとなるポイントを探し出すことが大切。分析には広さと深さが鍵となる。このためには、２つのキーポイントが必要。

(1) 個人名を外した要因分析を意識して進める

原因追究が、その行動した人物、指示した人に辿り着くことがある。いわゆる、「犯人捜し」。一般社会の中での刑事事件における捜査では、警察・検察のスタンスは責任者を特定して、その人物への処罰を与えることにより本人が再び同じことをしないようにする（再犯防止）ことと、他の人が仮想体験して同様なことが起きないようにする抑止効果を狙っていると思う。人間の性《さが》として、処罰から逃れたい、軽くしてほしいと考えるもので、調査時に真実を言わなかったり、曲げてしまうことがあり得る。これが、真因追究の障害になってしまう。合わせて、弁護士がプロフェッショナルアプローチで処罰軽減に力を尽くしてくれることもあると思う。

仕事を進める上では、法律に触れて他への迷惑、危害、損害を加えることがない限り、「個人名」を避けたアプローチが適当だと思う。品質問題対応でも同様にしている。戦略、戦術の妥当さ、仕事の進め方の正しさ、現状の認識、分析方法の的確さにフォーカスしたい。また、仕事の管理の仕方について組織や会社が主語の分析が必要。

(2) 分析にはコツがある

ポイントは、正直で謙虚な反省をベースとするために、少し極端な表現を工夫すること。例えば「△△△を実施しなかった」という事実認識を「△△△をする気がなかった」とする。普通の人間の気持ちとしては、そこまでひどいことはない、ある程度は実施した、自分ではコントロールできない外乱のためにできなかった、などと言い訳をしたくなるところ。個人名を外してあれば、書きやすい。ここは、要因分析、問題点の発掘という狙いに重点をおいて少し極端な表現をしたいもの。そうすれば、意外に的を射た真因に近いものや、自分のどこかに眠っている怠惰を見つけ出すことができる。これが、次に向かった打開策に活用できるはず。

改善活動における進み遅れ、目標の未達は、安全問題、環境問題や品質問題などとは、扱われ方が異なる。「自らの力」でチェックして活動を修正する必要があり、自己チェックのやり方にも意識した工夫が必要となる。

コラム 「人」をターゲットにした責任追及

産業界での不祥事、改ざん、隠蔽などが後を絶ちません。モラルの低下もあるとは思いますが、調査、分析の姿勢にも気になることがあります。不祥事などを調べる担当が警察・検察となれば自然と法律違反、規則違反に対する不遵守を暴き、それらの責任者を特定し追及、処罰する中世以来の見せしめのようなやり方にも見えます。

米国のように、司法取引制度が真因追究への寄与、不祥事の早期発見、内部告発にうまく働くことが見えてきます。我が国においても法律改正によって少しずつ司法取引、内部告発の活用事例が出てきました。その効用が理解され始めていると思います。

また、メディアも含めて「個人」を特定した報道、論評になることによって、事実も曲げられたり、改ざん、忖度……と社会が向かっていきたい方向からズレてしまったり、依怙贔屓があったり、正直者がバカを見るようなことになります。

失敗学会で学んだことは、個人の追及を横に置いて純技術的に事故、失敗を分析して再発防止から体質強化、技術の進歩へと繋げていくことの大切さで、好事例をたくさん見てきました。

コロナ禍における「○○警察」のように、他人に対して厳しくなる傾向や、インターネットでの無記名の誹謗中傷、非難を見聞きしていると、悪化の方向です。「人」をターゲットに攻撃することへのハードルが極端に下がってきてしまっています。苦難を共に乗り越えよう、助け合おう、良い社会にしようという機運から逆行しているようです。他人を蹴落とし、自分の立場、身を守ろうとする風潮には危機感を持っています。

この世の中、1人だけでは生きてはいけないのですから、お互いに強み・弱みを理解し、尊重しながら助け合っていくしかないと思います。

少なくとも、工場現場での改善活動においては、お互いに尊重し合い、「利己」ではなく「利他」の精神で共有している目標に向かって助け合うことが続けられるように願っております。

6 「崩れる予兆」を合宿研修で共有！

モノづくり現場において生産計画、生産指示及び進捗管理の「しくみ」を導入して半年間くらい経過すると、崩れ始めた失敗を以前の部門で何度もやってきた。トヨタ自主研という全社的に注目された活動では、進捗状況、成果、継続、定着には大きな責任感があり、緊張したものだった。過去の失敗を振り返ってみると、キッカケは新製品導入、引き当て機種・製品の数量変化、及びメンバーの入れ替わりなど。従来から言われてきた3H（初めて、変更、久しぶり）の変化点管理と共通するところが多い。また、生産対応に集中している時に「それなりの不可避の環境変化」を言い訳にして責任逃れをしていた反省もある。

何とか崩れる前に、前兆をキャッチして早目に方向修正、挽回、やり直しをしたいという関係者の想いは同じだった。せっかくここまでやってきたものがズルズルと崩れてしまうカッコ悪さ、もったいなさに皆、危機感を持っていた。そこで、「継続する力、崩れ防止のための合宿研修会」をやることにした。元々この部門は、合宿研修に慣れている仲間が多く、このイベントを容易に声がけできたことはラッキーだった。先々代の部長であった深谷紘一さん（その後、北米拠点のDMMI社長、㈱デンソー社長、会長）の時代に、でき上がっていた。多くの納入品質問題を抱え、その分析結果からヒューマンエラーへのアプローチの必要性を共有し、HF（ヒューマンファクター）研究会なる合宿研修会が毎月開催されていて、何年も続いた伝統だった。この土台に乗って、年に3、4回の職制TQM合宿も加え、皆で語り合い、飲み合い、アイデアを出し、力を合わせる土壌、風土があった。壁に当たった時や重要な節目では、この集団活動に助けられたことがたくさんある。

さて、「継続する力、崩れ防止のための合宿研修会」では、メンバーそれぞれが溜めていた不満、心配、変更案を出し合い、かなり盛り上がったことをよく覚えている。崩れることに繋がるミスや、崩れそうになる前に見えてくる前兆を各人から出してもらって、大変多くの視点、キーワード、ヒントを得ることができた。何か問題が発生した後のタイミングでは、責任も感じて雰囲気が暗くなりがちとなるもの。しかし近未来のリスクに対して、自らの失敗体験を披露し合うのは、取り組みやすいものであると実感した。1人で考えることには限界があり、大勢でアルコールの力も借りてワイガヤをやるとアイデアがたくさん出てくるだけではなく、各自の失敗談の披露やそこに至った原因の解説などを聞くと「明日は我が身」に迫る深さも加わった。仮想体験のオンパレード。

最後にまとめた約束事項の他に、参加者の意識が大きく変わってそれぞれが職場に帰って行動を変えてくれたことが最も大きな力となった。この合宿が、改善を継続できる大きなパワーとなったことを数か月後に実感した。また、振り返ってみると「思っていることを口に出して言う」ことの大切さをお互いにわかり合った。マネジメント面では、こういう機会を作ることの効き目を学ぶことができた。

世の中に予兆・前兆をキャッチして行動を変える、変えたいと思うことは時々ある。我々の力ではコントロールできない自然現象に対峙する時にも、よく求められる。例えば地震の予知。現在では、地殻変動やプレートの動きに対して、計測網が整備されてきて理屈で科学的にわかるようになってきた。以前は、電磁波異常、地下水の急変、動物の異常な動きなどに関心があって、予兆を知りたがったものだった。気象の世界では「観天望気」というものがあって、かなりの確率で当たっていた記憶がある。「蚊ばしらが立てば雨が来る」「ツバメが低く飛ぶと雨が近い」「消えない飛行機雲は、下り坂の天気」……など、予兆を知りたいのは自分の行動を変えたいためだと思う。

モノづくりの話に戻って、知らず知らずのうちに徐々に変化していってしまうことに対して、我々は早目に事実を捕まえて、行動を変えていく必要がある。そのためには、自分が恐れるリスクの予兆、前兆を予め知っておくことは大きな力になる。

7 「備え」と「構え」

仕事を進める場面では、自己管理として各人・各組織が「備え」と「構え」を準備しておく必要がある。

「備え」と「構え」の違いには、いろいろな場面で使われ方が違ってくるとは思う。仕事の世界では、「備え」はやや受け身的姿勢となり、「構え」は変化に立ち向かうような能動的なニュアンスがある。自然災害に対する「備え」と「構え」でも似たようなことが言えるかもしれない。工場での生産活動、改善活動における「備え」と「構え」という自己管理について考えることとする。

「備え」は、将来に発生しそうな変化に対して、現在の仕組み、体制、陣容、人財でどのように対応していくかを考える。メンバーの中で、過去の経験から導き出せる知恵があれば使える。ない場合は、他の事例や本などから間接的な仮想体験をしてヒントを得る必要がある。具体的には、計画段階において想定される変化やトラブルに対して、生産活動、改善活動に支障をきたさないような防御的な準備をする。自然災害に対しては、常備品とか避難用の備品などのように「備」の字が使われる。工場の中でも、設備、装置の故障に対して予備部品を確保したり、保全体制の準備をする。

「構え」には、2つあると思う。1つは、「想定内」の変化に対するもの、もう1つは、「想定外」に対するもの。先にも書いたように「構え」は外部の変化に対抗して如何に我々の活動を守り、内部の変更や変化を打ち消すようにするかが大事である。

1つ目の「想定内の変化」への構えは、「備え」と重複していることもあると思う。過去の経験などから想定できる変化をリストアップし、当初の計画の中に具体的な対抗策として忍ばせておくことができる。この準備が、計画そのものの品質を向上することとなり、一般的な計画や他事例のコピーとは異なった自部署に合った、パワフルな攻めの実行計画になると思う。それぞれのメンバーが想定される変化、問題発生について思い巡らせる力で、頭の中やワイガヤでシミュレーションしてみると「構え」の確実さが自己チェックできる。

2つ目は、「想定外の変化」への構え。いい事例は、東日本大震災の時に大きく取り上げられた「てんでんこ」。小さな子ども達でも、それぞれ1人ひとりが自分で考え、自分自身で判断して（＋決断して）自分の行動として安全な場所に逃げるという習慣付けが素晴らしかった。ここで我々工場運営の立場の者がどのように想定外の変化に構えるのかを考えてみたい。外部環境、内部環境の変化で何が起きようとも自分自身の確固たる行動様式、考え方、姿勢を持ちたい。また、そのブレなく揺るぎないように確立したものを、常に発揮できるように訓練、研鑽しておくことが必要と思う。

どの程度の「構え」を持つのか、「構え」とは具体的にどんなものならば大丈夫か？と心配、疑問を持たれる方は、学生時代や就職後の若手時代に経験してきた「大変だったこと、苦労」を思い出してもらい、その時はどうしたのか？　後になってどうすれば良かったのか？を振り返ってみていただきたい。きっと自分なりに苦難に打ち勝つための処世術のようなものを掴み取っていたはず。また、たくさんの「大きな困難」「修羅場」をくぐってきた方は、自分なりの確固たる行動パターンを持っていると思う。それらの個人の処世術を仲間の人達に、自らの経験をさらけ出してでも熱く話しかけ、共感・共鳴してもらうことで組織としての「構え」が作り上げられることと思う。ポイントは、何が起きても「自分で考え、自分で決め、自分で行動開始する」こと。「てんでんこ」を見習いたいもの。

さらに言えば、「想定外の変化への構え」は、組織が準備してくれるものというよりは、各個人が身に付けておくものと思う。経験の少ない人は、意識して新しい仕事、訓練などに飛び込んでいく必要がある。上に立つ者は、そうした機会を作り出す責任がある。

コラム　入社応募者へのメッセージ、応募条件

「自己管理」に関連して、採用段階からこだわって要求していることがあります。

ことのいきさつは、中小・零細企業での採用の難しさです。従来勤めていた大規模会社ではそれなりのレベルの人達が学校から推薦され、応募されてきた上で、選抜試験をしていました。中規模の会社（500〜800人程度）にいた時でも、その地域での長年の実績と信頼により優秀な人達が応募してくれました。

しかしながら、中小企業の中でも小規模・零細となると新卒者を採用することが難しく、人手不足や将来人財の確保・育成という難題に直面しています。もちろん新卒者への門戸は開いていて会社説明会にはたくさんの方々が来てくれます。現実は、内定通知を出しても、承諾連絡まで時間がかかったり、最終的には他社へ就職するというケースが多くあります。

大・中規模会社に比べて中小・零細では比較的に入社後の人財育成機会を確保しにくい傾向がある。入社してからじっくり育てることも難しく、採用時に各個人の資質、気持ち、姿勢をよりしっかり確認しておきたいと思います。会

社へ入ってもらうことよりも、入ってから後にどんな仕事をするのか、どれ程の覚悟を持っているのかを確認することが必要であると痛感しています。

そこで、採用条件または応募条件として2つに絞っておりました。

「自己管理ができること」「我慢強いこと」です。

これは、何度も新卒者、中途採用者の入社後での育成段階において苦戦した営業部門での反省を踏まえて、前職・同期の泉俊二さんに会社の事情を洗いざらい聞いてもらった上で我々に合ったポイントをアドバイスしてもらったものです。ただし、泉さんからは3番目のアドバイス＝「逃げないこと」も受けましたが、中堅の育成時に加えることとして、新人用には除きました。

1つ目の「自己管理ができること」は、学生・生徒向けには「約束を守ること」「時間管理をすること」さらに具体的に学校でのテストや受験勉強の時にやってきたような自分で計画し、実行し、反省して次回に反映するということを話しています。

それ程、高いハードルではないと思います。アルバイトでの経験の中でも自己管理の経験を培ってくれています。

もう1つは、「我慢強いこと」について。

会社生活の中では、たくさんの理不尽なこと、不条理なことがあります。お客様と約束した納期に合わせて計画、生産したとしても、その先のお客様から状況変化のため2、3週間の納期前倒しを依頼されることがあります。その場では、正論を通したいところですが全体を見たり、長い目で見ると、こらえて踏ん張る必要もあります。下請け、小規模になれば仕事が減るリスクとの狭間に立ち、悩ましいところです。前職で自分が仕入先さんに無理をお願いしていたことが恥ずかしく思う次第です。このような場面での精神的、身体的ストレスに耐え、克服していくことが後々にはお客様から評価をされ、良好なビジネス関係となったこともたくさんあります。海外でもよくありますが、日本国内ではリスクからチャンスに変える機会がたくさんありました。

この我慢強さと自己管理力については、高校生、大学生にはストレートに腹に落ちない人も出てきました。世代が「Z世代、α世代」とどんどん変わってきております。この時には、相手の表情を見ながら別の言い方もします。

学生時代に、周りにいる人の中で運動クラブをやっている人を思い起こしてもらいます。自己管理ができている様子、きつくて辛い練習に耐えている様子を思い出し、身近な友人や自分自身の体験と比較してそれ程ハードルが高くないことをわかってもらいます。結果として、運動クラブ経験者、体育会系活動の経験者が活躍しているケースをたくさん見てきました。

「自己管理ができること」と「我慢強いこと」を理解してもらった上で、応募するのかどうかを考え直してもらいます。

合わせて、会社との相性の話もします。それは、会社に入ってからどのような仕事をしたいのか？　どんな人間になりたいのか？という観点です。

2つの選択肢を示して、意志を確認します。

①大きな安定した会社で、その中の組織の一員として腕を磨き、一人前になり「優秀な歯車の1つ」として活躍したい人。

②小さくて将来性はよくわからないが、いろんな仕事をさせてもらって自分自身が大きくなり、ゆくゆくはその部門を大きく変えてしまいたい、会社も変えていきたいという気概のある人。

もうおわかりのことと思います。①の方について、その姿勢を非難するつもりはまったくありませんが、小規模・零細には向かないので応募しないように頼みます。逆に、②の方の目線を受けた時には、工場案内をしながら「一緒に汗をかこう！」と誘います。

最近の就職活動状況を見ていると、会社説明会での質問内容から福利厚生面での待遇を気にしたり、会社の向かっている姿勢を問いかけられることがあります。会社説明の中で長期ビジョンや経営者の信条を伝えても、予め用意されたような質問の様子で、その場での理解力も心配になります。

また、ご両親、ご家族の方々の期待は「会社に入ること」のような方が多く、その意見や期待を伝えられ、本人もその意向を気にされているようです。会社に入ってから何をしたいのか?どんな人間になりたいのか?……は本人自身が考え、決めるわけなので会社を選ぶ段階でも本人が意志と覚悟をしっかり持ってもらえれば、ミスマッチや早期退社も減るのではと思っています。

会社側としても、今やたくさんの内定者から選ばれる立場であり、採用面接の時から応募者を見定めると同時に、応募者から見比べられている時代です。面接官も応募者からは、「この人と一緒に働きたいか?」という見方をされます。

自己管理は、会社生活の最後まで続きます。死ぬ少し前までも続く大切な要素です。

1人でゲームに熱中し、うまくいかなければリセットして続けることに慣れた人もいます。親しくない人との会話において、傾聴することや相手の考えていることに想いを巡らすことができるかどうかも大切です。

現実には、やっと採用できた人財を社会人として鍛え直し、仲間にしていくことは、我々に課せられた仕事として増えてきております。

第6章

管理者の役割

管理者の仕事は、改善活動に限らずに大変多岐にわたっている。エンドレスな改善を進める上では、マネジメントの役割が大きい。本書では、工場における生産性、品質の改善活動に絞ったマネジメント面での失敗や、工夫について触れたいと思う。一般的な管理者としてのマネジメント方法、その改善については別の機会にする。

1 基本

(1) 仕事の管理

仕事の管理の中には、「個別業務、プロジェクト活動」と「日常業務」がある。これらの中で、工場での改善活動に関連したことを書く。ベースとなるのは、先の「自己管理」(第5章)でも出てきたPDCA。それぞれのメンバーの1人ひとりが自己管理をしっかりやってもらえれば、管理者としては別次元の役割に集中できる。

現実には、メンバーの能力差や環境・状況の変化により期待通りには進められないことが多くあり、メンバーの自己管理を助けながら全体の仕事の管理をしていく必要がある。よく遭遇するのが、遅れ、変化への対応や人による差への対処。工場の生産活動においても生産の進み・遅れを見えるようにして問題点を早目にキャッチして改善に結び付けていくようにしている。

改善活動での実行計画表が整備されている場合は、それに任せる。現場に掲示されている一般的な「改善計画表」は、A4サイズの改善案件リスト。1つひとつの小改善ごとの問題点、対策案、スケジュール・納期、担当者名程度が書かれている。これらを消し込みながらフォローしていく中で全体の進捗について上司、トップに報告・連絡・相談する義務を背負っているのが管理者。

管理者として期待されることは、日々の日報レベルの内容ではなくて、小さくても「週単位」のマネジメント。よく使っているのが、「週報」。日々に作成される日報のような記録的なものではなくて、週単位のマネジメントとして作成、活用する。一例を示すと、内容は「やったこと」(Y)、「わかったこと」(W)、「次にやること」(T)となる。

この3つの構成は、技術KI活動の中で身に付けたもので、プロセスを重視するやり方。

(参考：『技術者の知的生産性向上』岡田幹雄、日本能率協会マネジメントセンター、1993年)

私は、2008年以来約14年間にわたって、この3つのストーリーを週報に使ってきた。週報の位置付けは、上位にある年度計画や月次計画からブレイクダウンしたものであり、実行段階での生のマネジメントとなる。A4サイズで用紙を作成し、「やったこと」＝実施事項、「わかったこと」＝特記事項、「次にやること」＝次のアクションを等分に配置する。

①「やったこと」

実行した内容、経過を書くが、同時に当初の計画との対比として進み・遅れの表現が必要。また、いろいろな変化の報告とそれに対応した実施内容も必要。管理者の中には工夫してくれて自己評価として「○、△、×」を付け加えてくれる自己管理レベルの高い人もいた。こういう人は、自ずと「わかったこと」以下のマネジメントレベルが高くなる。また、該当する週において、本来やるべきことができなかった場合もあり、この遅れ報告も大切なメッセージ。

ある程度の大項目は予め枠取りしておくと欠落防止になる。

②「わかったこと」

特記事項というタイトルを付けることもあるが、ここが最も重要なところ。①の実行した中で、「思ったこと」「新たに気づいたこと」「反省したこと」及び「新たなリスク」も大切。また、「満足したこと」や「自信を持つことができたこと」もいいと思う。感じたこと、思ったことの小さなキーワードだけでも上司とのコミュニケーションのため

図9　週報のサンプル
「やったこと」＝実施事項、「わかったこと」＝特記事項、
「次にやること」＝次のアクション

（　　　　）週報　　　（2012. . ～ . ）　　確認：＿＿＿＿　作成：＿＿＿＿

分類	項目	実施事項	特記事項	関連部署	次のアクション〈納期〉
		（何をどのように実施したか、計画との比較）	（自ら決めて実施したこと、工夫、異常処置、困ったこと等）		（具体的で、フォローできる行動）
次週の優先順位	①		〈打合せ時のメモ〉　年　月　日		
	②				
	③				
	④				
	⑤				

※実際は「A4横」で使用

には助かる。

書くスタンスは、実務的な記述となりがちだが、あくまでも管理者として何をやったのかがポイントとなる。すなわち、部下が実施したことの代弁ではなくて、リーダーとして指揮し、指導し、決断し、指示したことが書き表されてきてほしいもの。初めてこのスタイルの週報を手がけると①の実施事項が中心となり、②の「わかったこと」が書けなかったり、②の特記事項の中に実施内容が書かれたりすることがある。少なくとも週末には30分間だけでも冷静に振り返ってみることが大切であり、その時に「わかったこと」を意識してもらう。

③「次にやること」

上記②の「わかったこと」がしっかり書き表せれば、スムーズに次週以降のやるべきことを自分で考え、自分で決めることができると思う。ここで注意したいのが、漠然とした「今後の進め方」風の曖昧な表現。具体的な行動計画までに落とし込めずに「方向付け」程度の耳障りにいいキーワードが並びそうなところ。ここを踏ん張って、小さくてもいいので具体的なアクションを考え、実施日（月／日）、実施者名まで決めることが大事となる。

関係部署が多い場合は、その調整に時間がかかる場合が多く、週末に週報を書きながら具体策の欠如に気づいて焦らないように、前倒しの「詰め」がいる。

④「次週の優先順位」

ここまでの、①〜③を書き表した後に、自分自身で③と共に本来の計画や、前週にできなかったことも含めて書き出し、次週の優先順位を箇条書きにする。

これで「週報」が完成。これをベースに週初めに「週一トーク」として上司と30分〜60分程度の小打合せをする。それぞれの打合せの中で、上司との間で情報共有、問題共有、相談、決定がなされる。

したがって、次の週一トークまでの間は、個別の「報・連・相」、特別項目以外は自己管理に任されることになる。

普通は、水曜日から木曜日頃になると週末にまとめる「週報」の内容をイメージし始めて、遅れ挽回や、気づき発見、問題抽出、及び次のアクションの具体化ができ上がってくるようになる。

この週報が、4週間分揃えば月報の準備に大きな助けとなり、日常管理のベース作りとなる。

第3章−2−（4）の変化点ボードの事例（76ページ）でも話したように、毎週の作成時には、未記入の用紙から作成することが大切。週を跨いで実行することがあったりするとコピペの誘惑もあるが、ここは1、2行を書く手間よりも、もう一度考えることを優先したほうが良いと思う。

月度の管理、年度計画、長期ビジョンの作り方は別の機会に。

(2) 人の管理

「人の管理」は、募集、採用、育成、評価、フィードバック……と各人を対象にしたことと、チームとしてのマネジメントがある。ここでも、工場での改善活動に関連するポイントに絞って書く。

日常業務では、その手順、ノウハウなどを明文化したマニュアル、要領書等が整備されることが多いと思う。先にも書いたように、改善活動では、1人ひとりが自ら考え、行動できるようにすることが大切となる。募集から採用時に「自己管理ができる人」「我慢強い人」という期待を書いてきたが、その通りに採用できないことが多くある。

改善活動の中で、1人ひとりに成長してもらい、1人立ちしてもらうためには、通常の評価基準である「職種別職能基準」「等級別職能基準」では、合わない場合がある。通常の評価基準は、各等級ごとに期待する知識、能力、姿勢が表され、その基準に対して達成できているかどうかといった減点主義的なものとなりがち。改善活動では、評価基準に書き表せないプラスアルファの部分、観点にも着目した加点主義的な評価も必要となる。

これは、昨今大きな課題となってきている少子化、年金支給開始時期の延期、中高年齢層の雇用延長に対応する場面でも、課題となっている。リスキリングの対象となりにくい高齢者の活躍機会を探す際にも、一般的でなくても得意な能力をキチンと評価する加点主義のニーズがある。

部下を評価する話に重点が移ってしまったが、日々の「人対人」の中で、「褒める」、「認める」ことも大切な点であり、「人の管理」として忘れないようにしたいもの。これは毎日でもでき、進化もできること。

我々古い日本人は、部下を褒めることが苦手のままで過ごしてきた。Y、Z、αと世代も変わってきていることも、思い出したい。

昔から言われていることだが、今1度自分も含めて思い起こしたいものだ。

〈褒める＝認めることの3つのポイント〉

①やった時に！

②やって当たり前のことを！

（3）人財育成の前に、「人の質」を理解する

一般の中小企業では、従業員確保が難しく、ましてやあるレベル以上の人財を選抜確保することは難しいもの。それぞれ採用段階では、希望と期待を持っていても採用人数が確保できない状況では、応募者からの「聞こえの良いアピール」をストレートに受け、心配な面の確認や問い質しもしっかりできない。限られた時間内では思うようにできずに妥協してしまうのが現実。中途入社、外国人採用などそれぞれの生い立ちが大きく異なるこういった差に対して、当たり前のレベル合わせと地道な育成が大きな仕事になる。

このような現実に立って、統一した育成活動を始める前に、それぞれの個人の特徴を掴んでおくことが大切になる。従来は過去の自分の経験をベースに、成功体験を模倣したり、反面教師のネタを反映したりしてきた。ところが、昨今の急速な世代の変化に臨むには、積極的に理解する努力や情報収集が不可欠。

大企業などのように仕事の仕組み、しきたり、当たり前がある程度固まっているモノづくり現場では、その財産によって、人の変化、世代の変化への対応についてはしばらく時間稼ぎができるかもしれない。中小企業では待ったなし。この人の変化、世代の変

化への対応では中小企業が先行して進化することとなる。
世代の変化も我々団塊の世代1947〜1949（厚生労働省の白書参照）の後、細かく変化してきている。
「X世代」：幼少期からカラーテレビがあり、政治的にはしらけ時代。バブル世代、団塊ジュニア。（1965〜1980）
「Y世代」：デジタルを若年で経験してきている、デジタルネイティブ世代。ミレニアルズ。（1981〜1996）
「Z世代」：幼少期からデジタル化された真のデジタルネイティブ。ズーマー。（1996〜2015）
「α世代」：親がデジタルネイティブ、幼少期からスマートフォン。（2010初期〜2020中期）

このように変化が早くなってきており、技術的対応だけでなくその時々の社会環境、経済環境の変化によって生活様式の指向が異なり、さらには人生設計までも徐々に変わってきている。このように、価値観の違う人達にどのように共鳴してもらうのか、どのようにニーズを腹落ちさせるか、どのようにやる気を引き出すか、どのように「気づき」を高めるか……とそれぞれの現場での苦労が増えてくる。

私自身は、会社に入ってから10年程でサッカー部の監督をした時期があり、15〜20歳離れた世代と共通目標に向かって共に汗を流し、助け合ってきたおかげで少しだけはジェネレーションギャップに対する悩みは小さく済んだ。しかしこの時期は、X世代相手だった。いまやY、Z、α世代、以前のように飲み会の機会も少なくなり、コロナ禍でさらに機会が減り、この世代変化への対応方法については余程心してかからないと難しく、この変化を乗り越えるエネルギーと熱意がいる。

（4）人財育成の主役は？

改善活動だけには留まらず、会社での仕事やその他の職場での人財育成において、その主役は上司だ。企業、組織によっては総務、人事、教育などの専門部署がある場合でも、あくまでも主役、責任者は直属の上司のはず。そこで、人財育成の主役として心得ておくべき手順、役割を考える。

（5）人財育成のステップ別役割

特に、勘違いしやすい「部下教育」の場面を例に書く。
そのステップは、以下の通り。

①計画
②動機付け
③機会創出
④派遣、送り出し
⑤教育、研修
⑥中間での確認と激励
⑦終了後、確認
⑧活用機会の創出
⑨支援
⑩成果出し
⑪フィードバック、標準化
⑫評価
⑬計画見直し

それぞれのステップは、本人、仕事の状況によって差はあるが管理者の心の中には常にこのステップを持ってもらい、不必要なステップがある時は、意識、覚悟を持って飛ばすことをやりたいもの。

それぞれのステップごとに、たくさんの失敗体験の中で反省し、改めてきたことを思い出して書く。

①計画

人財育成というものは、他の一般的な業務の計画とは異なるものであるべきとの認識に辿り着くまでに長い時間を要した。たくさんの失敗から学んだ、挽回や変更を頭の中で整理し、考えていると、後になって納得している次第。

まずは目標。いつまでにどのレベルになってもらいたいか、ということ。多くの部下に目標について聞いてみると、1年くらい後に「一人前と言われたい」とか、1級上の先輩が現在できている現状を見て、「同じ程度に！」と漠然と考えているようだ。それぞれの人の育ち方には、大きな差があり、軽い気持ちで目標を決めるものではないと思う。また、近くにいる適当なターゲットなる人に設定することも軽率にすべきではない。

そこで上司として、段階ごとに分割したタイミングで、「○○○ができる」「△△△が1人でできる」「少し援助をしてもらえれば□□□ができる」などで表現してみると具体的なイメージが見えてくる。ここで注意したいのが、タイミングの設定。一般的な仕事、年度計画などでは、1年後、3年後での「ありたい姿」、達成度合いの設定をする。人については、特に新人の育成については、変化度合いが非常に大きいために、1週間後、1か月後、3か月後とか半年後、1年後などと分割して、それぞれのタイミングで「……ができる」を表現したい。これをベースに、育てられる新人と相互に理解、納得することが必要。時々陥りそうなのが、まだ実力もないうちから「△△を担当したい」と本人から打ち明けられて、無下には「まだ早い！」と言えないことがある。せっかくやる気になっているのだから、妥協して機会を与えたりするとうまくいかないケースを多く見てきた。特に、Y世代、Z世代ではこの傾向が増えてきて、対応する時にモチベーションを別のことで維持させながら冷静に説明し、納得させ誘導することが新たな役割となってきている。

② 動機付け

従来の育成パターンや会社方針により部外、社外へ派遣して教育を受けさせたり、研修に参加させたい場合が出てくる。この時の「動機付け」が大事。決して、「決まっているから」とか「毎年行ってもらっているから」では、モチベーションはなく、マイナスしかない。育成計画や日頃の習得状況を踏まえて、本人がやりたいという気持ちを持てるように誘導してあげることが必要。

日頃の本人とのコミュニケーションの中で、本人が気づいていない特性を伝えてあげながら、ニーズや新たな知識、技術の活用機会、今後や未来の仕事に活かすチャンスを示してあげることが大切。これが、慣れない研修、教育にも耐え、踏ん張ってくれる活力になる。世代の変化により仕事への取り組み姿勢が大きく変化してきていて、自分の時代、直近の前回までの成功体験が通用しないものと思ったほうがいいと思う。

③ 機会創出

育成目標を達成するためには、通常業務の延長やＯＪＴだけではその進度が鈍ることが多い。そこで部外、社外の講習、研修の活用が考えられる。本人から申告してくることは、非常に少ないと思われるため上司として本人への愛情を込めて、いろいろなチャンスを探してあげることが役割となる。どう考えても、視野の広さ、見識の深さは格段の差があるはず。

世の中はどんどん変わってきている。また、会社の事業、自部署の力も相手があることなので競争力という面では、毎年同じことをやっているのは衰退の方向となる。モノづくり企業としては、競争力を強化し、存続し、発展する必要がある。ここのところは、一般企業では共通していても役所、公務員の方達とは置かれた危機感が異なると思う。

現在では、インターネットを活用すれば、多くの情報や知識を容易に獲得することができる。しかしながら、自己判断で負荷やプレッシャーの少ない手軽な手段に飛び付いたら、「刺激、気づき、鍛錬」が獲得できないことを忘れないようにしたいもの。

④派遣、送り出し

ここが落としがちのステップ。

数年前までは、派遣に関して参加申し込み、出張届の承認などのタイミングでフェイストゥフェイスのコミュニケーション機会があった。いろいろな手続きの便利さに向けた改善で大切なことが忘れられてきてしまった。電子帳票、電子決済は、必要な手続きを不足なしに短時間で完了できる便利でスマートな方法。しかしながら、この段階の上司と部下の会話が欠落してしまうリスクがある。「あまり上司と接点を持ちたくない」人にとっては都合が良く、気を付けていないと過ぎてしまう。

実際には、出かける直前になって、「明日から行ってきます」との一声に対して、「そうだったね。頑張ってこい！」程度で済ませてしまった失敗が多くある。本人にとってはどんな気持ちだっただろうか？　部下を送り出した後に、具体的な期待とか、知ってほしいこと、気づいてほしい分野、課題等を考えて研修終了後までに温めておき、帰ってきた時にその話題を出すのは不公平。

1日でも2日でも早めに、「送り出す言葉」を、できれば単純明快なキーワードを考えておくのが良い。最悪のパターンである、「何も伝えずに、予定通り出発してしまった」ということのないようにしたいところ。

実害がすぐ出てくるわけでもなく、上司からお咎めがあるわけでもないと、省略してしまって「ハッ」と気づいて冷や汗をかくことを忘れないようにしたい。最近では、研修会企画者の配慮によって、「受講前の疑問点」などの他に「上司の期待値」欄を予め設けていただいているケースもある。救われるが、これは派遣する上司、所属長の役割と心得たい。

⑤ 教育、研修

教育、研修の中で実施してもらうカリキュラムについて確認することは必須。例年と同様の研修でも、その時のニーズに合わせて少しずつ変更されていることがよくある。講師がどんな方なのかも気になるところと思う。講師情報があれば、研修に関連した著書の有無を確認して、いい機会なので部下の研修中に並行して読んでおくことも1つの方法。帰社後の会話のレベルが大いに盛り上がる。

⑥ 中間での確認と激励

高卒新人の教育研修として、1か月半の基礎講習に毎年派遣してきた。学校時代の「与えられたものを学ぶ」姿勢から「自ら考えて、行動する」社会人への大きな意識改革をやっていただき、大いに助かっている。本人は、入社直後であり会社生活のこともよくわかっておらず、不安な気持ちで準備されたカリキュラムを消化していくうちに、学校時代とは大きく異なる社会人としての当たり前を毎日叩き込まれる。マイペースとはならない状況で、不安や疲労蓄積で辛いところ。

所属長が、毎年の恒例として中間時点で研修所に参観に行き（これは、研修会社のアレンジ）、そのタイミングで個別の食事会をやってくれている。大変ありがたい姿だ。この中では、研修での苦労話や将来の予定などの情報交換、共有もある。合わせて、1年、2年上の先輩との連携もアドバイスする。こうして本人のために動いている上司の姿を見た新人の心の中で、上司への信頼が築かれ始める様子が想像できる。また、この面談の結果を受けて研修終了後の社内教育、配属への準備が開始できる。

⑦ 終了後、確認

終了後確認で重要なポイントは、タイミング。「できるだけ早く」が所属長としての務めとして頑張りどころ。日々の多忙さに明け暮れていると、派遣した部下の帰社の「第一声」を待つ姿勢になりがちとなることが多い。受け身の姿勢で、何事もなく済んでしまうことがある。この場面では、上司がイニシアティブを持ち2つのことをしたい。

1つ目は、研修内容の確認、気づきの聞き取り。その場で、研修メモを手渡されたら褒めてあげてほしい。報告書、出張メモなどの提出タイミングの確認はマスト。人間の記憶は、時間と共にどんどんと薄れていく。第3章、基礎段階の問題分析の項（第3章－7）でも書いた、エビングハウスの忘却曲線を思い出していただきたい（114ページ）。学習したことを一定時間後に復習した場合の時間節約率は、「早く復習すれば、早く記憶を戻すことができる」という。時間と共に、記憶が思ったよりも早くなくなっていく怖さを教えている。忘れないうちに記録し、気づいたことをメモする習慣を指導したいところ。

研修等で席を空けている間に溜まっていた仕事を挽回しようと、通常業務にすぐに取りかかってくれる姿をよく見る。真面目な人ほど、この傾向がある。この局面では、少し我慢して「研修終了後のまとめ」を優先するようにしてあげるべく、敢えて時間を与えたいところ。その時には、念押しとして、「特に何に気づいたのか？」「次にどうしようとしたいのか？」をアドバイスしておくとやり直しが減る。

2つ目は、離席中の情報提供。

大切な戦力を一時的に減らしてまでして、派遣している。研修中にはプレイングマネージャーも含めて、代行している人達がやってくれている。この状況、様子を伝えてあげることが責任感のある部下にとっては、期待値を間接的に確認できることとなり励みになるもの。ややもすると、中小零細企業では仕事の分担が「個人商店化」する心配もあり、その時は大きな一旦停止が発生する。こういった機会に、担当変更、分担拡大などで組織の総力を向上する絶好のチャンスでもある。組織で仕事をすることに慣れさせたい。

⑧ 活用機会の創出

さて、貴重な時間を割いて部外、社外での教育・研修を受けてきてくれたものを如何に仕事の中に活用していくかという場面に移る。本人が自分の業務を通して活用のチャンスを見つけて、活かしてほしいところ。しかし、日々の追われた業務の中では、なかなか余裕がないのが現実。

ここは、上司である管理者が、強い意志を持ってせっかく獲得してきたことを仕事に使えるようにしてあげる必要がある。これは、「いつかある日にチャンスがあれば……」とか「思い出した時にやろう」というのではなくて、忘れないうちに強引にでも使わせようと画策する場面。

一般的には、この活用機会の創出は部下からの信号を待っていても何も出てこないので、管理者側に仕かける責任がある。この動きは、当面何もやらなくても実害がなかったり、上からお咎めが来ることも少なくて、やらずに過ごしてしまいがち。会社の大切な費用を使い、周りの人達に離席時のリカバリーをやってもらったことを有効に活かさない手はない。

⑨ 支援

教育・研修の成果を仕事に活かすことは、部下に任せた状態ではなかなか進まないもの。また、先輩社員が気を利かせてうまく指導してくれることを期待するのは難しい局面。ここは、管理者が身をもって自分自身の時間をひねり出して、相談に乗ってあげたり、うまく使いこなせないところを助けてあげてほしいものだ。もともと、育成の責者は上司であり管理者。その管理者でも完璧な能力を持っているわけではない。そこで、他部署、社外の人達に助けをもらって、直接的、間接的に部下教育を代行してもらっていることを再確認したい。だから、自部門の仕事に活用する場面では、自らで育ててほしいところ。

⑩ 成果出し

新しい知識や方法、仕事のやり方などを身に付けて業務の中で成果として出してもらうことが、本人にとっても部門にとっても大きな成長であり、戦力アップとなる。モチベーションも上がるところ。ただ、ある程度のところまで到達してもフィニッシュで戸惑うことがあり、せっかくの成果が実らないことがある。ここは、少し我慢して「本人の手柄」となるように陰で支え、助けてやってほしいもの。

その過程は、管理者と本人だけが知っていて、周りの人達にはわかり難いこと。一旦、成果が出始めれば寄与の仕方、度合いを問うよりも結果が出ることで本人が自信を持ち、次の場面では、自分だけの力で完結できるように取り組んでいくことを陰でニヤニヤしながら見守りたいものだ。

⑪フィードバック、標準化

ひと通りの新しいアプローチで成果が出るとうれしいものだが、間髪を入れずにやりたいのがフィードバックと標準化。今までに教わった仕事のやり方を改めたり、マニュアルがある場合は変更、再発行したりするところまで漕ぎ着けたいもの。従来のやり方を変える場合は関係者の中で少なからず抵抗もある。上位者として、より広い視野と、上位の観点で采配を振るってほしい場面。こうして新しいやり方を標準化していく作業に慣れ、身に付けてくると普段の改善活動の中での「歯止め、標準化」して明文化するというクセが付いてくると思う。

⑫評価

まず第1段階は、「褒める＝認める」ことです。

前項の第6章−1−（2）「人の管理」の中でも書いたが（264ページ）、再度書く。

（1）やった時に！

（2）やって、当たり前のことを！

（3）その行動を、口に出して言葉で言う！

ということで、是非とも褒めてあげること、少なくとも認めてあげることが大切な「評価」の第一歩だと思う。

会社によっては、いろいろな仕組みがあると思う。半年に1度程度の人事考課、評価のタイミングでは、新しいチャレンジにより成果が上がったことや、成長できたことを共有し、合わせてそこに向けたプロセス、姿勢の変化も見ておきたいもの。次に繰り返してもらえるためのキッカケとなり、大きなエネルギーになる。

⑬ 計画見直し

評価ステップの後には、次に向けた計画の見直し。

評価と計画見直しのタイミングが合わない場合がよくある。人財育成計画も年に1度程度のタイミングで見直される場合が多いと思う。それぞれの育成サイクルの節目と計画見直しがズレることを想定して補完することが必要となる。人事考課の時には必ず、育成計画を確認したい。また、見直された計画は本人と共有して、徐々に本人自身が自分で考え、行動できるように誘導してやりたいもの。

以上、人財育成のステップ別の役割を書いた。

これらの一連の行動の中で、大切なことは、「人を育てるには、その人を『好き』になること」。これは、北米拠点に出張していた時に同僚からもらったヒント。山内豊さん（前・㈱デンソー執行職、常務役員）が現地人のマネージャーを何とか育てようと苦心している話を聞き、山内さんの言葉、姿勢から感じ取ったもの。以後、大いに使わせてもらった。

2 応用

通常の業務と異なって、改善活動とりわけ「エンドレスな改善」というエリアでは、「管理者の役割」にも基本的なことが通用しなかったり、迷ったりすることが多い。この項では、実例を中心に紹介し読者の皆さんに仮想体験していただき、さらに応用・進化してもらえるように期待する。

（1）行き詰まった時の打開策

事例（1）―プレス工場での廃材清掃「一気に変える」

熱交換器用アルミ部品を加工している工程の話。

クランクプレスにトランスファー型をセットして、材料はコイル材をアンコイラーから繰り出し、トランスファー加工後に完成品を自動取り出し、箱詰めする工程。同時に細かい切り落とし部分、穴抜き加工での廃材などは、型内、型周辺から排出される設定だが、製品の排出に比べて改善が遅れていたところだった。生産での量、品質に直接的には影響が小さく、後回しとなっていた。これらの細かな廃材、チップは設備周辺に散在していて、その形状が平たく、加工油が付いていて床面にへばり付いていた。また、切り落とし部分は鋭い先端があるため周辺の隙間に入り込んで引っかかり、取り出しにくくなっていた。

この床面の清掃不足により、油漏れや廃材回収機構の不備を発見することに支障が出て、大きな故障発見の遅れになったことがたくさんあった。生産現場のリーダー、班長、課長にとっては長い間同じような状態に見慣れてきており、また上司、先輩からも厳しく言われずに過ごしてきた。実際には、指摘・注意することはできてもすぐには局面打開できなかった。キチンとできない言い訳はすぐ言えても、「見て見ぬ振り」が続いていた状況だった。班長と個別に話をしてみると、わかってはいるけれど……申し訳なさそうな態度。ある時、トラブル原因の1つがこの清掃不足であることが「朝一の会」にて話題となった。聞いている他職場の出席者も自職場の状態と比べるとそれ程強くは言いにくい様子だった。

そこで、朝一の会を早々に切り上げて、参加者全員で清掃することを頼んだ。人海戦術だ。約15分間だったが、見違えるような変化で大きく局面打開でき、その後の対策活動は該当の関係者だけで進めることができた。

この動きのポイントは、

①全員の力を結集する
②一気に良好な状態に引き上げてしまう
③仲間に助けてもらった以上は、責任を持って維持する
④協力してくれた他職場の参加者も自職場に戻って自発的に活動を変える

……というもの。

ただ、全てがうまく進んだわけではなくて維持に苦戦した事例もある。しかし、一気

に局面打開できたという体験を体で味わったことは、いつまでも覚えているもの。維持・継続という面では有効であった。第2の候補が手を挙げてきたこともある。ここでのポイントは、困った時は誰かが「大号令」をかけて、一気にトップダウンでやってしまうこと。

事例(2)—工具置場の整理・整頓、「満を持して、速攻!」

汎用工作機械を中心に機械加工をしている職場での事例。

昔から各機械ごとに主となるオペレータが固定化されていて、それぞれの機械で使う工具、刃具が本人の使い勝手のやり方で置かれていたり収納されている状態だった。有給休暇の取得も少ない風土を「有休取得が当たり前」に変換すべく取得計画表、仕事の多工程持ち等を進めたが、一旦指示を受けた加工仕事をそのまま指示量完了まで同一人が担当することが多かった。有休で休むと「遅れ挽回が大変」という個人商店化した状況を打破することがカギとなっていた。これは、技術・事務部門でも似た状況があった。そこで、普段から仕かけ途中の加工工事を意識的に他のメンバーに変更することを始め、担当機械の固定化を崩すこととした。

ここで出てきたのが、各設備の工具、刃具、治具の扱いにくさ。従来は、個人単位で自分にとってやりやすい置き方をしており、他の人が担当した時には、それらを探すだけでもムダな時間を浪費していた。このような局面の打開は理屈で「べき論」を言っても、長い間に当たり前のようにやってきたベテランにとっては、何かを変えることに躊躇や抵抗が出てくるもの。まずは、正攻法で1、2度の各自、各機械での一斉改善を促し、様子を見る。ある程度の人達は、他の良き見本を見習って遅ればせながら改善することもあるが、なかなか進まないところも出てくる。

ずっと昔ならば該当する設備周りの工具、刃具等を全て床にひっくり返して「見せしめ」のようにやったこともあるが、昨今のメンタル面での弱さ、ハラスメント防止の観点から手荒なことは避けたいところ。上位者の気が済んでも、部下の「基本の理解や改善の意欲」はマイナス方向になってしまい、とても「各自による継続的な改善体質」から離れてしまう。実際にやった手段は、朝礼での再度の指示後に、関係者に短時間の協力をしてもらって、一気に局面を打開した。

ここでポイントは、なかなか捗《はかど》らない担当者を攻撃するのではなく、仲間で助けてあげる機会を作ること。そのために、再三のリマインドと、関係者との課題共有、「満を持して」の環境作りの後に、「速攻」を仕かける。合わせて、この動きは、長い時間やるのではなく、できるだけ短時間に一気にやり切ることが大切。人間誰でも、急に「景色」が大きく変わると気持ちも変えることができて、マイナス的な考え方、姿勢も変化し始めるものと思う。

このやり方でも、後日心理的なストレスが残ったことも聞いたが、そのケアをしながら完璧ではないやり方をアフターケアしていくことで割り切る。

事例(3)――組付け職場での整理・整頓を考え直す

組付け工程での事例。

使う工具・検査具・小物部品等が乱雑になってしまっていた。組織だって動くことが普通となっている大企業に比べて、どうしても個人商店化しがちな中小・零細での1つひとつの積み上げには、それなりの苦労がいる。「整理・整頓をしっかりやれ!と言えば、それ以上は何も言わなくてもあるレベルまでやってくれる現場では不要のステップ。現実には、保全部門や改善スタッフのいない限られた陣容で、やっと受注できた(変動の大きい)仕事を、固定した作業員で対応しているケースが多く、モノを作ることが中心となり、周りの改善に目や気持ちが及んでいないのが実態と思う。モノづくりの競争力強化が、新設備導入や設備改善が主体となっている工場をよく見る。多額の投資をしても日々の運営でムダ、ロスを抱えたままでは、継続的なコスト改善体質とはいえない。

前項と同様に、病欠、有休などで頻繁に担当変更をせねばならない組付け現場では、作業スピードの改善より前に、「モノ探しのムダ」をなくすことのほうが優先されるべき。組付け工程が、ライン作業になっていないケースが多く、前後工程と繋がっていなくて「島」になった離れ離れの工程では、このような「ムダ」が目立ちにくいもの。改善の基礎、ステップでもお話したが、それぞれの職場の実態、実力に合わせた改善の優先順位付けが大切となる。

組付け工程で、よく見かける「工具ボード」。よく使う工具を使用の都度に工具箱から取り出し・収納するのではなく、作業位置から1歩以内にシルエット、吊りボルト、釘等を活用して手作りで固定置場が決めてある。また、よく使われる備品、部品等は引き出しに収納されている。この収納箱、ケースの整理・整頓がなかなか進まない人も多くいる。「モノを探す」というムダがいっぱいある。

これまた、大企業ではそれなりの補助部門、スタッフが準備してくれたり、当たり前のように使用部署独自で準備できたりするが、メインの生産作業以外のところは後回しになっていたりすることがある。上位管理者の出身元が、大企業や、ある程度コントロールができていた会社である場合は、このような次元のレベルアップの体験が少なく、直面すれば悩むところと思う。

各家庭でも、子ども達の机の周りの整理・整頓に対してどのように指導・アドバイスできるかを試してみると、それぞれ性格の異なる子ども、孫に対して対応の仕方に苦労することがある。良き練習にもなる。

1つの方法は、第一歩として「手書き表示テープを貼る」というやり方。用意するものは、サインペンとマスキングテープ・ガムテープ。小さなカードのような粘着タイプのシートでも重用できる。対象物を収納する場所を決め、それぞれに手書きで名称を書いて表示し、入れる。収容量とのバランスが悪かったり、取り出し、作業場所との距離関係で問題があったり、というように使い勝手で変更を考えて試行錯誤できる。一旦、落ち着いた後の1、2週間後に、不都合、不満足を修正してみる。これを2、3回やるとほぼ固まった置場が決まるので、ラミネート、ラベルプリンターシート等の読みやすいものに付け替える。

ポイントは、自分でやる、悩む前にまず何かをやる、やったら、風景が変わるのでまた考える、また変えてみる、「仮」で良いから一応全体を眺める……。この習慣が身に付き、面白くなってきたら「改善の継続」が始まるチャンスとなる。

敢えて言うならば、初めからキレイでキチンとしたものを狙わないこと。状況の変化にある程度柔軟に対応できるように、ギチギチなルール、やり方にしないこと。また、一見してダメそうなアイデアでも貶《けな》さずにそのまま続けさせ、自分自身が問題点に気づくまで気長に待つことが大事。上位者が自分の当たり前を振り回しても、自分の自己満足だけの空振りとなり、部下の育成からは遠ざかってしまう。また、自らのアイデアを越していく場合は素直に、喜びを伝えて褒めてあげてほしいところ。

これらの事例から、壁に当たった時の局面打開のヒントを掴んでもらえると思う。

(2)「教育」と「訓練」

改善活動では、「訓練」がより重要であることに注目する。

改善活動と一般的な仕事を比較すると、近くに指揮者がいなくても、1人ひとりの考え方、判断、行動が期待通りに動いてくれることを要求される。仕事の管理レベルが年々良くなってきたところには、基本的なしくみやルールを明文化して規制するというやり方が効力を発揮している場合がある。品質管理分野でのＩＳＯ９００１であったり、環境管理でのＩＳＯ１４００１でもおわかりいただけると思う。しかしながら、ルーチン業務と異なった改善活動では想定したことを前提としたルールや仕組みを作って、あるパターンにはめ込むことよりもその場その場で状況に応じて判断、決断して進めることが求められる。マニュアルを見たり、指示を受けなくても自発的に動くことができる必要がある。

会社での活動、とりわけ工場現場での活動では「教育と訓練」という言葉の意味を次のように考えている。

「教育」：知らない知識、技術・技能を伝え、教え、そして育てる。ここに集中する。

もちろん、他の定義である「人を導いて善良な人間にする」ことや、「人に内在する素質、能力を発展させる」こともある。

「訓練」：教育で得たり、持っている知識、技術・技能がいつでも、どんな場面でも独力で活用できて効果を出せるように、教えられた後や定期的に、繰り返しの実践を行うことによって体、頭に覚え込ませること、と考える。

少し話題が逸れるが、「訓練」としてよく使われるのが地震時の避難訓練、消火器の操作訓練、ＡＥＤの操作訓練、玉掛け・クレーン操作の定期訓練など免許や資格を持っていても「訓練」が必要なことを思い出していただけると思う。周りに誰もいなくても、１人で確実にできることが求められる場合を想定して、普段から訓練が計画的になされている。

ルーチン的な仕事ではない分野では、それぞれ何らかの形でこの力を作り上げておくことが必要。営業活動においては、マニュアルのようなものを書き表せることが難しく、ロールプレイングをよくやった。これも、貴重な訓練。

工場における改善では、１人ひとりが自分の力で違和感を感じたり、問題点を見つけたり、問題点を見つけやすくすることにより、改善をし続けていきたい。このためには、意識して訓練の場を設けて実践での体得ができるように機会を作りたいもの。

新しいしくみや進んだやり方については、そのやり方に関する説明がわかりやすく本やテキストに体系立てて表されていると、読んだだけで理解しやすくてわかった気になるもの。しかし、「知っている」レベル。これを、「できる」レベルに引き上げる必要がある。今1度、「訓練」の大切さについて地震・津波時の避難訓練を思い出していただきたいと思う。

(3)「理解」と「納得」

「教育と訓練」と同じように、改善活動の中で「納得」の大切さが次の課題。

理解する場面では、新しい知識、技術・技能について知り、その概要が説明されると「わかった」という気になるもの。理路整然として説明を受けると、なおさら理解したところで止まってしまう。説明側にとっても、周到に準備すればする程、自己満足になってしまう場面。その理解したものを行動に移すことができるのかどうかという観点が大切。「理解」レベルから「納得」レベルまで引き上げる工夫、努力、しつこさが必要となる。

次のページの図（図10）は、「理解と納得」を図で書いたもの。

仕事の中で、指示を受けたり、教育されたりして「理解」できた状態は、たとえ教え

図10　「理解」と「納得」

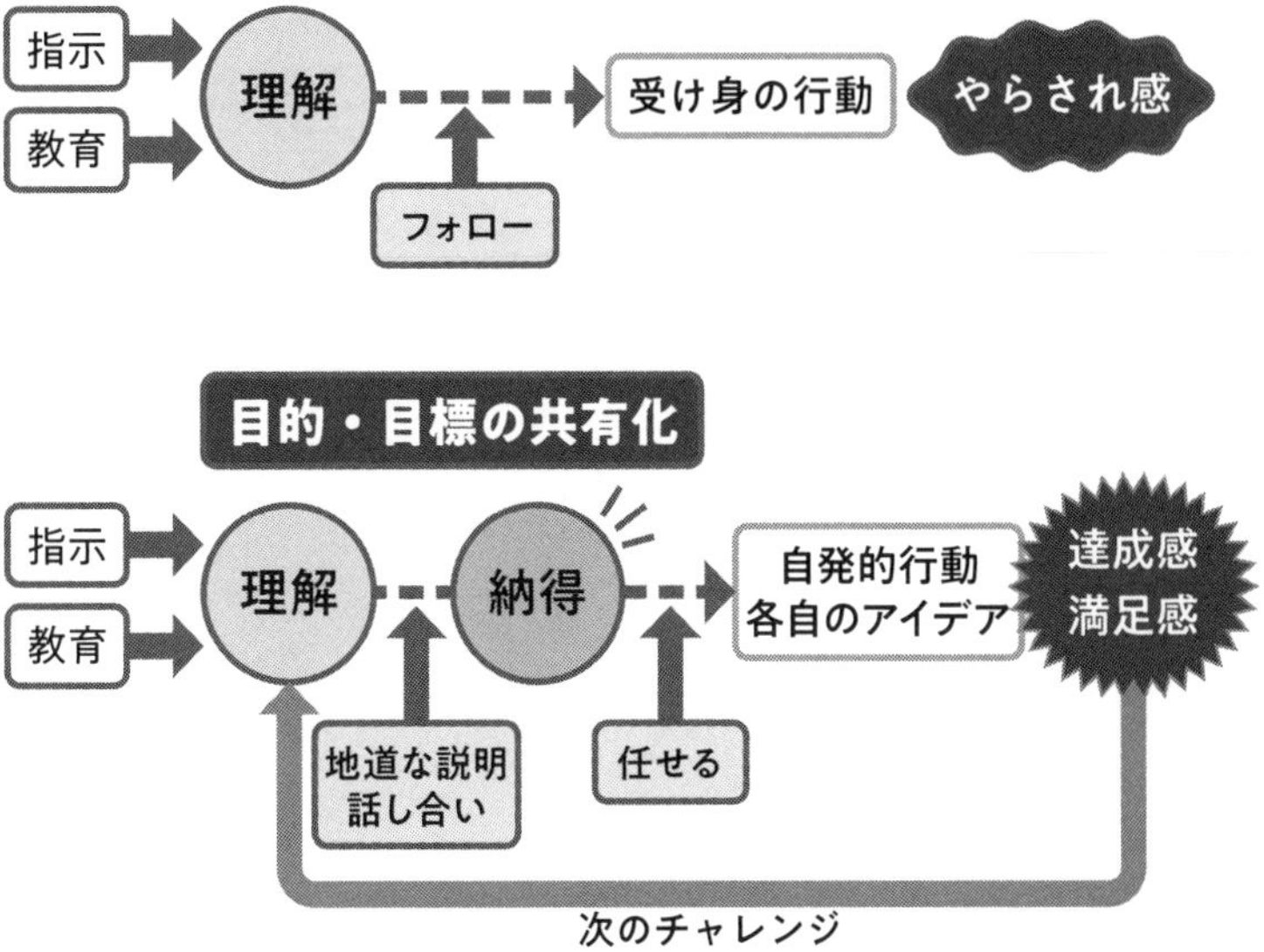

側、指示側からのフォローがあっても受け身の行動となっている。そこで、この理解段階において時間とアイデアを加えて「目的、目標の共有化」をはかり、何度も疑問に対する回答など相互のコミュニケーションを密にして繰り返すことによって「腹に落ちる」段階まで進めることができる。

行動の段階では、思い切って任せることにより自発的な行動を繰り返し、合わせて各自のアイデアも作り出してもらいたいもの。このようなステップを踏むと、受け身の仕事とは違って達成感や満足感が大きくなるはず。是非とも、納得するまで、腹に落ちたことが確認できるまでしつこく付き合ってもらうことを期待している。

ここで思い出していただきたいのが、第2章-5-(5)事例の「伝え方の拙さ」で書いた(56ページ)、「『わかった?』と聞かない」という話。

たくさんの失敗体験の中から思い出すのが、教える側、伝達側の「育成したい」「わかってほしい」、できれば早くわかってほしい、わかりやすく今までと同じように説明してあげたんだから……という気持ちがある。それぞれ違った相手の納得具合を確認しながら、じっくりと我慢する努力が必要となる場面。

(4) 危機管理

会社規模の危機管理については、別の機会に。

ここでは、改善活動を継続する上で想定される危機に対していくつかの事例を紹介する。危機管理として思い起こすのは、オイルショック、リーマンショックなどの大規模な経済危機と個別の問題対応がある。個別の問題対応には、仕入先の全火災・焼失、東海豪雨時の仕入先水没、九州集中豪雨での仕入先洪水被害、仕入先倒産などがある。また海外では、ストライキ対応、人員整理、主要顧客からの取引停止宣告、リストラクチャリング、不法移民労働者の排除、主要顧客での品質問題多発、主要設備の長期故障による3直化……と修羅場が絶えなかった。

これらの危機を乗り越える時に悩ましいのが、それまでに継続してきた改善活動がストップし、戻りにくくなること。それぞれの危機を乗り越えた時に問題の鎮静化のタイミングをはかって、継続的な改善体制を再構築しようと試みたが、日々の生産活動での優先順位が変更になった後は余程意識して取り組まないとうまくいかなかった。掴んだ教訓は、「余裕」。

若い時代は危機になると、何とか乗り越える時にいろいろな手を使うものの他に迷惑をかけまいとしたり、自分自身の面子を守りたいという気持ちが心のどこかに潜んでいて、必要最小限の対策を準備し、実行したものだった。たくさんの修羅場を越えてくる間に身に付いたのが、「気持ちの余裕を持って、さらなる想定外にも備える」ということ。そのことで、復帰後の平常化、継続活動のスムーズな再開に役立った。危機に対応する姿勢として身に付けたものは……

①臆病なくらいに悲観的な問題点予測をする。
②対抗する準備は、「150%」のものを考え、準備する。
（途中で不要となったら、中止する）

③ 実行段階では、積極的に！（ビクビクせずに元気良く！）
④ 恥を忘れて、周囲に助け・支援を頼む。（自分の面子は無視！）

人間は、誰でもうまくいかない時に至っても、自分の面子や評判を気にして、評価が下がるような対策を躊躇したり、避けたがるクセがある。1度目の海外出向時は、重要設備の故障が相次いで通常の2直稼働に加えて、ウィークエンドシフトという土日稼働、さらには平日の3直化までエスカレートしたところで大目玉を食らい、目が覚めたことがあった。また、グループ会社や仕入先に助けを求めるカッコ悪さを避けたいと思った自分の弱さに気づき、一転して支援してもらって大きなトラブルなしに乗り切れたこともある。

別の機会に会社規模の危機管理について話すが、佐々淳行さんの危機管理に関する本は大いに参考とさせてもらった。

ここに感謝を込めて、列挙します。

参考図書（いずれも著者は、佐々淳行さん）

●『危機管理のノウハウ』ＰＡＲＴ１・２・３
（ＰＨＰ研究所、１９８４年、ＰＡＲＴ３、１９９０年）

●『新・危機管理のノウハウ―平和ぼけに挑むリーダーの条件』（文藝春秋、1991年）
●『完本　危機管理のノウハウ』（文藝春秋、1991年）
●『世紀末の指導原理―新・新・危機管理のノウハウ』（文藝春秋、1994年）
●『人の上に立つ人の仕事の実例「危機管理」術』（三笠書房、2001年）
●『平時の指揮官・有事の指揮官』（文藝春秋、1999年）
●『スキャンダル克服の秘訣 わが記者会見のノウハウ』（文藝春秋、2010年）

生前にお会いして、お礼を伝えたかった方。併せて、佐々淳行さんの名言を添えると、「責任と犬と新聞記者は、逃げると追いかけてくる」

責任者の立場では、肝に銘じたいものだ。

(5) QCサークル、「やらされ」からの脱却

管理者の役割として改善活動の進め方を考える時に、共通点が多いのがQCサークルの支援。改善活動の中にも、多くの「やらされ」仕事があり、その場面からの脱却について参考にしていただきたい。

製造部門の責任者であった時代の経験。

社内の他部門と同様に、推進事務局のリードに合わせて「効果事例発表会」への代表送り込みに注力していた反省がある。部内選考会、部門グループ内選考会、社内発表会・選考会、地区発表会、全国大会、と進んでいくと、本来の目的を忘れてズレた活動に力と時間を使っていた。発表会の指導をしながら、毎日の現場巡回での様子と比べて、ギャップがあることを感じていた。当時は、大先輩の製造部長であった村上 昭さん（故人）に指導していただく機会を得て、時々来ていただいた。その時は、QCサークル活動の発表内容に関する指導よりも、普段のQCサークル活動に対する製造部長としての取り組み姿勢を大いにしごいてもらった。特に、1人ひとりのメンバー、サークルとしてのチームを如何に育てていくのかということ。また、同じメンバーがやっている他の改善活動と如何にうまく結び付けるのかという点。

ここで、QCサークル活動の基本理念（日科技連）を書き出してみると、

〈基本理念〉

- 人間の能力を発揮し、無限の可能性を引き出す。
- 人間性を尊重して、生きがいのある明るい職場をつくる。
- 企業の体質改善・発展に寄与する。

このような自分自身の振り返り、気づきをベースにやっていたことが2つある。いずれも、よくある「発表会指導」とは別の仕かけ。1つ目は、「仕事に関係しない活動事例発表会」。QCサークル活動事例発表会のテーマは、ほとんどが通常の生産活動や、事務活動の中で品質改善、コスト改善や環境改善となっていた。サークル活動の進め方も、問題解決型、課題解決型とあったとしても他事例のステップをコピーしたような進め方や、QC7つ道具を適当に活用して体裁を整えたりするチームも出てくる。これは、優秀発表事例集などを見ると、模倣したくなるほどワンパターンが揃っていることがキッカケかもしれない。このような活動の中で、新人がノルマのような順番で発表担当に指名される様子も見てきた。やらされ感でいっぱいなチームメンバーが熱い気持ちで共通目標に立ち向かっていただろうか？　現実には、その場面で能力発揮が図られるということからは大きく離れていたと思う。「基本理念」も忘れていた。

そこで考えたのが、仕事とは無関係なテーマに限ってチャレンジしてもらえるチームを募集した。回数を重ねると、グループ内での合同発表会にまで発展した。面白かったテーマを思い出すと……

①ボウリングに勝つには？（苦戦していた班長の汚名挽回策）
②パチンコに勝つには？（徹底した調査と実験、取り組みが素晴らしかった）

③腰痛防止
④ペットボトルで遠くまでロケットを飛ばすには？
残念ながら、発表資料集が手元に残っていなくて思い出せないが、チームが一丸となって、熱く活動しその後の活動活発化に貢献したことは確かだった。

2つ目は、「うまくいかなかった事例発表会」

これは、自部門だけでやったが、1回だけで、継続開催までできなかった。1つのチャレンジ。一般的な部の代表、会社代表の活動事例は、おおむね成功事例となる。現実には、各サークル全てが良い結果を報告することができず、最重要テーマではない小さな成功事例を発展させた報告もあった。そこで、重要テーマなんだけれど、うまく進められない、取り組み方がよくわからない、効果が出ないということで壁に当たっているケースもたくさんあった。そのようなケースを対象に応募をかけて、7、8例を出してもらった。ほとんどが、従来から取り組みたいテーマでいろいろやってきたが壁にぶち当たって苦戦していたり、投げ出そうとしていたりしていた。そんな状況を正直に洗いざらい出してもらった、ごく内輪の報告会。
発表を聞いて、気を付けたのが①まずは、取り組みに対して感謝！　②即興で局面打開のアイデアを提供すること。

図11　QCサークル活動

QCサークル活動

うまくいかなかった事例報告会開催

98.4・1

1	開催日	：	5月11日（火）・5月12日（水）
2	時　間	：	17：40 ～ 19：10　（１時間半）
3	場　所	：	会議室
4	内　容	：	QCサークル活動でうまくいかなかった、または停滞している事例等を報告して、アドバイスを受け元気を出させる。
5	相談員	：	部長・室長、工場長（課長）
6	発　表	：	各課１件　12件×15分（質疑含む）180分 180分÷２日間＝90分（1.5H）
7	発表資料	：	今ある資料、サンプル、帳票等を活用して新規には作らない（手書きでOK）
8	その他	：	①聴講者は各課５名、全体で約60名程度 ②発表者全員に参加賞があります。

以　上

ここで狙ったのは、ＱＣサークル活動をベースにした、改善活動が継続する場作り。

図12　QCサークル相談会の反省

99.5.11~12

立場	良かった点	立場	悪かった点
発表者	・開会あいさつで今回の狙いの説明があったので気が楽になった。 ・上司から自分を覚えてもらう良い機会だからと励まされて出たけどやって良かった。 ・困っていることを両部長がきいてやろうという姿が見えて感動した。 ・困った点の方向づけができた、終わった後にすぐ現場で一緒に考えてくれたのが嬉しかった。	発表者	・始めは失敗事例とか、うまくいかなかった事例とかいう話だったので、嫌だった。 ・上司からの指示がはっきりしていなかったので、戸惑った。 ・また発表会が１つ増えたのか～たまらんな～という感じ。 ・聴講者がいっぱいだったので嫌だった。
聴講者	・いつもカッコイイ話ばかり聞いているので、こういう生の発表もいいと思う。 ・今回は初めてだったので、発表者も戸惑っていたけど、回を重ねると今より本音も出て良くなるかも知れない。 ・最後の４課の発表が良かった。	聴講者	・あれだけ大勢の人がいたり、上司がいれば、皆に気を使って本音は言えない。 ・部長、室長があのように話を聞いてくれているけど、本来は工場長や課長がやるべきだ。 ・本当に本音を聞きたければ小さな部屋でやったほうがいい。 ・相談者が我慢しているのがわかった。
職制	・まだ本音が出ているとは思わないが発表者も嫌がっていなかったし、和気藹々の雰囲気でやれたので、大成功だと思う。 ・発表者の足りない所を積極的に耳を傾けてくれた点はとても良かった。	職制	・始めは失敗事例とかうまくいかなかった事例の発表会だったので、部下を出しにくかった。 ・聴講者も大勢いるので本音を言ったら上司とか班内の人達と、もめごとがおきそうだ。 ・いつ叱られるかと思ってヒヤヒヤしていた。(某課長)

今後の進め方

発表者や職制に、もうこんな相談会は嫌か～？　本音を聞かせてよと、聞いて回ったら意外な事にああいう形なら結構いいじゃ～ンという答えが多かった。組付の班長でQCサークルに否定的だった人まで、カッコイイ発表ばかりより、こんなのも勉強になるよ、と言ってくれたのには正直言って驚いた。失敗事例の命名では叱られたけど、もっと回を重ねて気楽に本音が言えるようになれば、忘れられていた本来の活き活き職場が戻ってくるような気がした。

やる前は胃が痛かったけど終わってみると、皆の意見も聞きながら是非継続するテーマだと感じた。

（6）簡単にはできない……チームワーク

会社での活動だけでなく、多くの職場ではたった1人で仕事をすることは、大変少ないと思う。心身を鍛えて強くなり、独立して活躍されている方を除けば、周りの人達と力を合わせて共通の目的、目標に向かって活動していることと思う。この場合によく期待されるのが、チームワーク、チームプレー。

私自身、長くサッカーをやってきたので、競技そのものがチームとして動くことが必須であった。それゆえに、複数の人達が集まって活動すればチームワークができる、チームプレーをしているという期待や想像に対しては抵抗感がある。言い換えれば、複数の人達が集まっただけでは、自然にチームワークができるとは思えない。

改善活動においては、とりわけチームワークが必要となってくる。どうしたら、チームワークができるのかを考えてみたい。仕事の中だけでなくスポーツ、芸術の中においても共通するところがあると思うので模式的な図を準備した。

図13　チームワーク（どうすれば、チームプレーができるか？）

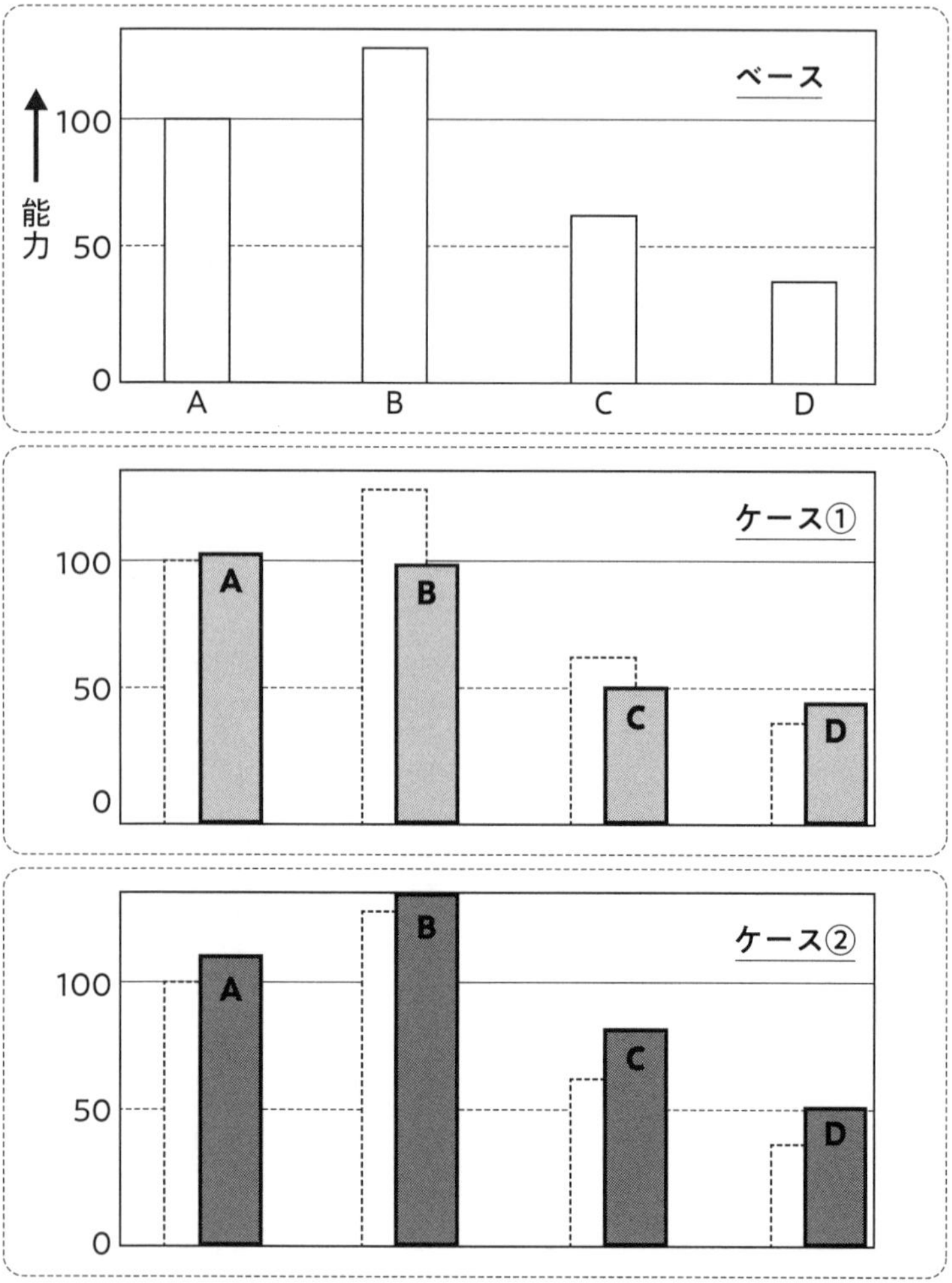

上中下に3つの似た棒グラフ群の概要は、上段のグラフ群が「ベース」。横軸は、チームの構成メンバーであるAさん、Bさん、Cさん、Dさん。縦軸は、チーム活動に直結する必要な能力を期待されているレベルを「100」として、大まかな高さで読み取っていただきたい。

まず、「ベース」。（上段のグラフ群）Aさんは、ほぼ期待レベルの100、Bさんは、他の人よりも高い能力を持っている。Cさんは、期待レベルの6割程度と能力の低い人。最後のDさんは、かなり低い能力を示している。スポーツの世界では、これほどの差があることは少ないかもしれない。会社の中では、とりわけ中小企業ではよく見かける姿である。自分の周りの人達を仮想してイメージしてみていただきたい。

「ケース①」（中段のグラフ群）は、それぞれのチームメンバーが実際の活動で発揮しているパフォーマンスをそれぞれの能力（点線）の右横に重ねてある。一例として書いた。Aさんは、能力と同程度から少し上回るパフォーマンスを出している。Bさんは、能力が高い人なのに他のメンバーの力量、特にCさん、Dさんと比べて、少し手加減してもいいだろうという意図で、最低でも期待レベルの100をキープしている。Cさんは、もともと期待レベルよりは低く、またメンバーであるAさん、Bさんに比べて劣っていてやる気があまり出ないし、下にはDさんもいるので自分だけが低い実力に対して背伸びしてもしょうがないというアキラメ。Dさんは、他のメンバーの能力や期待レベルと比較して能力が低い割にはそれ以上のパフォーマンスを出している……という状態。仕事の中でも、時々見かける様子に似ているかもしれない。身近なことで、振り返っていただきたい。

「ケース②」（下段のグラフ群）は、狙いたい姿。

Aさん、Bさんとも自分の能力に対してより高いパフォーマンスが出るように頑張っている。他のメンバーとの絶対値差をあまり気にせずに自分の実力に対して背伸びしている姿。Cさんは、能力としては期待レベルより低く、他のAさん、Bさんよりも低いものの、自分の能力をオーバーするパフォーマンスを出している。Dさんも自分の能力の低さがあるが、その中でもできることをアウトプットしている。

このケース②の状態では、AさんとBさんがCさんとDさんに足らないところを補うための援助をしたり代わりに役目を交代してあげたり、援助をする姿も出てくる可能性が高い。CさんもDさんを励ましながら、Aさん、Bさんからの理解、支援を受けてパフォーマンスを高めていってくれると期待できる。

これらの図は、イメージで描いているが、チームワークができ始める過程を想像していただきたい。チームワークができている、チームプレーになってきているという状態を作るのは、「それぞれのメンバーが自分の能力以上の頑張りをする」ということが大前提になっている。その各自のガンバリをお互いに確認できた時に、初めて相互の助け合いが始まるものなのだと思う。これは、スポーツだけでなく会社や、各種の共同活動の中でもたくさん体験してきたもの。

このように、4人のメンバーだけでもチームワークができ始める。合わせて、この例にあるAさん、Bさん、Cさん、Dさんのそれぞれに対して、上に立つ人が別々の言葉を伝えていることも理解してもらえると思う。チームメンバー同士でのチームプレーのでき具合を観察しながらリーダー、コーチ、監督、上司がどのように活躍すべきか考えさせられる。改善活動の中では、単純な能力差だけでなく分野ごとに得手・不得手があり、お互いに助け合い、補い合うことが大切だ。そうすれば、全体のアウトプットもより大きくなるし、共同活動の回数が増えるにしたがって、継続性も確実なものに近付いていく。ここが、継続改善の大きな基盤となる。

(7) コミュニケーションの維持、向上

最近の話題では、サッカー日本代表監督の森保 一さんのコミュニケーション力の素晴らしさが報道などを通して、サッカー関係者以外の方にも感じられたと思う。私は、

２０１８年秋にある行事で森保さんと一緒になった時、開始前の控室で話をすることができた。監督、トップとしての聴き方、伝え方について話すうちに、自分の監督時代の経験や、リーズ・ユナイテッドＦＣのMr. Howard Wilkinson（監督）の話を結構喋ってしまったと思う（第７章－２「監督はどこにいる？」３４１ページ）。

じっくり傾聴してもらった後に、森保さんが代表監督での経験を話してくれた。後から、代表監督に向かってずいぶんと偉そうなことを言ってしまったと、反省しきりだった。その中で、特に後半のゲームが動く時に、主役である選手にどう行動してもらうのかという話になった。森保さんからは、ゲーム中には大観衆の応援・声援で監督の指示がほとんど選手には聞き取れないし、選手の言っていることも聞こえない状況でのやり方を聞かせてもらった。如何に選手が自分で考え、判断し、自分達で決めていくことができるように導くか、という対応力の訓練・強化について大切さを教えてもらった。我々の仕事の中にも、普段のコミュニケーションをしっかり積み上げた上でいざ本番となったら最前線の人達に任せて、自分で気づいたこと、考えたことをもとに自分達で決めて、行動に移すことができるように機会を作り、訓練し、育てていくことが大切であると痛感した。

会社の生産革新活動の中で「工場運営技術」を担当していた時に、深谷紘一さん

(元・㈱デンソー社長・会長)から、「コミュニケーションを良く」と簡単に言うが、どの程度コミュニケーションが取れているのかの「物差し」があるのか?と質問され、返答したのが以下の3段階。以後、これを自分の標準にしてしまった。

- 第1段階:挨拶ができること
- 第2段階:反対意見が言えること、反対意見を聴けること
- 第3段階:「おせっかい」を言えること、聞き入れることができること

順にそれぞれについて、現実的に取り組む時の話を書くことにする。

①第1段階:挨拶ができること

挨拶は、普段できているようでその内容を考えると、コミュニケーションの基礎として最も大切なステップであると思う。新人の入社時や、大幅に職位が上の人に対する時の挨拶とは違って、普段の仕事仲間、上司と部下、仕事仲間との挨拶のことについて考えたい。

時には、挨拶すべき時、チャンスがある時に「挨拶なし」でやり過ごしてしまっているケースや、意識的に避けるような行動を見かけることがある。そんな挨拶の欠如、不足を憂いて「挨拶運動」と称して上位者が出勤時に入り口に立ってやっているのを聞いたことがある。いろいろなお考えがあるだろうが、私はしない。相手も子どもでもある

まいし、自分の気持ちが入っていない「やらされ」では、あまり意味がないと思う。私なりの挨拶の基本は、

〈挨拶の基本〉

① 上の者が、0・1秒でも早く、先に声を出す。

② 相手の目を見る。

③ 大きな声で！

④ できれば、笑顔で！

笑顔を毎朝に、といってもその日によって体調や、昨日までのことを引きずっていると素直には笑顔になれないこともある。それでも、朝一番に顔を合わせる時にはお互いに相手の表情を必ず見るはず。「今日も元気そうかな？」とか「今日は昨日に比べて笑顔が戻ったかな？」というように、一瞬で見て判断している。時には、声かけだけで視線を避ける場合があるかもしれない。この一瞬は、何らかのことをお互いに感じ合う大切な瞬間だと思う。

挨拶に合わせた「ひと言」も大切。普段話しかけにくくても、このタイミングはチャンス。部下の人達は、余程頼みごとがないと「ひと言」が少ない傾向がある。「ひと言」は上司が先に発信したいもの。

挨拶の仕方で、たいへん感心して真似したくなる人がいる。元・サッカー選手で日本サッカー協会・特任理事もやられ、スポーツジャーナリストでもある中西哲生さん。ユース年代の東西対抗戦（メニコンカップ）で何度かご一緒させてもらった。会場が毎年名古屋なので、地元の名古屋グランパスエイト時代の活躍を知っている人も多く、有名人として会場に来られるとたくさんの人達が歓迎や、お役目への感謝の気持ちで中西さんに挨拶をする。イベントは限られた時間内の過密スケジュールでもあり、中西さんはミニ指導会や解説など忙しく動き回られる。その移動途中に、いろいろな人達から中西さんに声がかけられるが、そのたびに中西さんは立ち止まり、相手の人に対して正面を向いて挨拶を返される。私なんかは、同様な場面だったら歩きながら斜め前を見て何度か連続して、誰と特定せずに挨拶を返していた。いつも見習いたいと思って実践しているのだが、なかなか難しいもの。

② 第2段階：反対意見が言えること、反対意見を聴けること

場面は2つある。会議のような場面と、普段の仕事の中での会話。

それぞれにやりやすさ、やり難さがあるがプラスアルファの心構えが必要。共通して言えるのが、「反対」という真っ向から対決するような姿勢が出にくいこと。非常に難しい課題を持った会議などでは別だが、反対意見をストレートに言わないことは、日本

社会の特徴ではないかと思う。国会、裁判、賃上げ交渉などは違う。

まずは反対意見が出てきた時の対応について。先に書いたように日本社会では、とりわけ会社、工場の中では「反対意見」を発言する人は少ない。反対発言は、余程思い込んでいたり、事前の調整が不足していたり、また明らかな見解の相違がないと出てこない。

それでも、反対の姿勢を感じる時には、そのポイントをメモし、同時になぜそのような意見に至ったのかを思いめぐらすことが大事。反対意見を聞いた後にすぐ反論したくなる気持ちもあるだろうが、後のことを考えると、まずはその反対意見の根拠や考えた前提となっている事実の確認が必要。意見を聴く途中で、質問しながら聞き出すことは、お互いのためになる。

また、反対意見が出てこないケースがたくさんある。採決の時に「反対」と意思表示する人でも、発言されない場合も多くある。この時には、聴き方、運営の工夫が必要。「反対意見はありませんね?」とか「異議ありますか?」では出てこないと思ったほうがいい。また、「反対意見はありませんか?」のように自分の向けたい方向へ誘導するような言い方、姿勢は、マイナス効果。「何か気づいたことがありますか?」「違った見方がありますか?」など、少しニュートラルに近い聞き方を工夫すると発言してもらいやすくなる。同席して発言していない人のためや、理解・納得してもらうためにも反対意見が出やすくなる工夫が大切となる。

③第3段階：「おせっかい」が言える、聞き入れることができる

例えば、長年の間柄、親しい友人や夫婦などを想像していただければいいと思う。お互いに深く知り合っていないと言い出しにくく、また受けたほうが素直に聞き、その意見を参考として行動を変えることが難しいもの。特に中小企業での経営者、工場管理者では、どの人が自分に対して「おせっかい」を言ってくれるのかを常に考えておく必要がある。時には、あなたがプライドを傷付けられたり、関係者の前で恥をかいたり、面子つぶれになることもある。

できれば、1対1の場面がいいのだが、ある程度の覚悟も必要。「おせっかい」を聞き入れる胆力、度量の深さが職場での信頼感に繋がっていくと思う。

私自身は、妻と秘書にずいぶんと助けられてきた。また、後の章で触れるが「異論を言ってくれる№2」の大切さも意識しておきたいと思う。

④コミュニケーションが難しい場合：障がい者対応

これまで、管理者の役割について書いてきたが、いずれもその置かれた状況は普通のコミュニケーションができることが前提だった。ある部門を担当していた時に、聴覚障

がい者とのコミュニケーションで心配し、苦労した経験がある。どの職場でも法律により障がい者を雇用している。2000年頃は、現在のように精神障がい者、知的障がい者の割合がそれほど多くなくて、身体障がい者の方がほとんどだった。また、私達のモノづくり現場では、肢体不自由の人達は別の子会社で働いてもらい、特別仕様の現場を準備してもらっていた。我々の部門では、主に聴覚障がい者の人達を受け入れていた。実際に自分の意識が変わったのは2つの出来事からだった。

1つ目は、QCサークル。

ある生産担当職場で、1人の聴覚障がい者と同僚が助け合い、励まし合い改善を進めた事例だった。この効果事例発表を社外でやることとなり、事前の部内指導会でのショックと反省。自分自身が、現場の苦労を何も知らずに任せきっていたために指導会の時に、何の有効なコメントやアドバイスもできなかった。実際の現場でのコミュニケーションの状態は、簡単な手話を使いながらやってくれていて、何を話しているのかを聞くこともしなかった。いつも普通にできていると思ったコミュニケーションが、聴覚障がい者相手にはまったくゼロに近かった。大反省だった。

2つ目は、「手話研究会」。

1つ目と同じ部門で、ある時「手話研究会」を始めていいですか？とスタッフの湯通堂さんから声がかかり、OKするとともに、仲間に入れてもらった。月に1回程度の集まりで、土曜日にやっていた。手話ができなくても聴覚障がい者とどう付き合うのか、どうしたら働きやすいかを話し合い、考える会だった。イベントもよく企画してくれた。

ある日のテーマで忘れられないのが、「台風接近時に早期退社を連絡する方法」。愛知県は、台風が時々来る。私自身、小学4年生の時に伊勢湾台風により小学校の中で63人もの生徒が亡くなった悲しい経験があり、人一倍台風については慎重になっていた。車通勤者が多い職場だったが、ある割合で電車通勤者もいた。電車通勤者には、通勤・退勤時に送迎のバスが配車される。台風の接近に伴って電車が運行停止となりそうだという情報を受けて、早期退社を指示することが時々あった。いつもやっているように、構内一斉放送で全従業員に対して早期退社の指示と、電車通勤者向けにバスの配車時刻を伝えた。各職場では、放送を聞いてそれぞれが行動変更するが、聴覚障がい者には、それぞれの所属長から手書きのメモを使って当人に伝えてもらっていた。どこかで言い間違えたのか聞き間違えたのか、異なった情報が伝わってしまったことがあった。このミスは、聴覚障がい者同士のメール連絡でわかった。ビックリしてすぐに、訂正の措置をした。当時は、まだ現在ほど携帯電話が普及しておらず、それでも障がい者の人達は、独自の連絡網を持っていて情報の違いに気づいてくれて、助かった。この反省を題材にして改善策を話し合い、出入り口のドア付近に臨時掲示板を置き、ビラを貼ることとした。

つくづく、コミュニケーションの前提を健常者基準にしていたことが恥ずかしく思った。手話研究会リーダーの湯通堂 恵さんは、障がい者マネジメントでの恩人だ。

(8) やる気向上の進め方

管理者の役割の最後は、「やる気」の向上。

改善活動と通常業務を比べてみると、「やる気」の寄与度に大きな差があると感じることが多い。工場における生産活動だけではなく、営業・販売、企画・総務・人事・経理、開発・設計、品質保証・検査、資材・購買、生産管理、生産技術、保全・施設動力など各部門でのルーチン業務は、前工程からのインプットに対して自部門で付加価値を加えたり、判断・決裁をして後工程やお客様にアウトプットしている。これらの定型的な仕事、作業においてはある程度の作業手順、マニュアルが整備されているところが多いと思う。そのため、各人に期待することはミスなく、遅れなしに進めることとなる。役所でも同じでは？

さらなる利益の追求を求められる企業などの場合は、改善により競争力を上げる必要がある。その改善活動では、ルーチン業務に比べて目標、納期などに自由度があり、各人の取り組み姿勢やマネジメントによって結果、成果に大きな差が出てくる。改善の活動そのものは、設備やコンピュータなどには任せられず、「人」に頼るところが多い。各人のアウトプットを向上することが、改善のリーダー、責任者としての大きな役割となる。メンバーの「やる気」向上に向けたいろいろなアクションが成功へのカギとなってくる。

① 期待理論からの基本公式

まずはじめに、「やる気」の基本公式は……

「やる気」の高さ＝（○○○）×（□□□）だ。

この公式については、古くはブルームの期待理論からスタートしている。ブルームはモチベーションの高さを数値化するための公式を「モチベーション＝期待値×誘導性×道具性」としている。直訳なので理解しにくいが、「誘導性」は、取り組み前や達成後の報酬に対して感じる魅力があるだろうし、自分自身の満足や他からの評価に対する感情もあると思う。「道具性」は、目標達成の結果に次の目標へのチャレンジのためにどれ程寄与するのかとか、目標達成への努力がどれ程自分の成長に繋がるのかといったところだろう。

私なりの説明の仕方を披露したい。

ここでは、「目標の魅力度」と「達成の可能性」で説明する。

「目標の魅力度」、それぞれの職場でどんなことをやりたいのか？　どんなレベルになりたいのか？　相手と比べてどうなりたいのか？……もっと平たく言えば、「できたらカッコいいな！」「ずーっと達成できなかったので、1度はやってみたい」「ここまで行けば、次の違う風景が見えてくるかもしれない」。スポーツの世界では、たくさん思い付くことと思う。サッカーワールドカップで「ベスト8以上」などは、わかりやすいと思う。

合わせて、マズローの欲求5段階説も参考にしてみると、

1. 生理的欲求
2. 安全欲求
3. 親和欲求
4. 承認欲求
5. 自己実現

このように、自己実現に向けて成長し続けたい欲求を考えると、身近な魅力的な目標が思い付く。

「達成の可能性」については、図14「やる気」の高さの下側の絵を参考に。サッカーと野球の例を示している。左側のサッカーの事例は、私がゴールキーパー（GK）にトレーニングしていた時の様子。コーチ役としては、ボールをどこに蹴るのだろうか？

図14　「やる気」の高さ

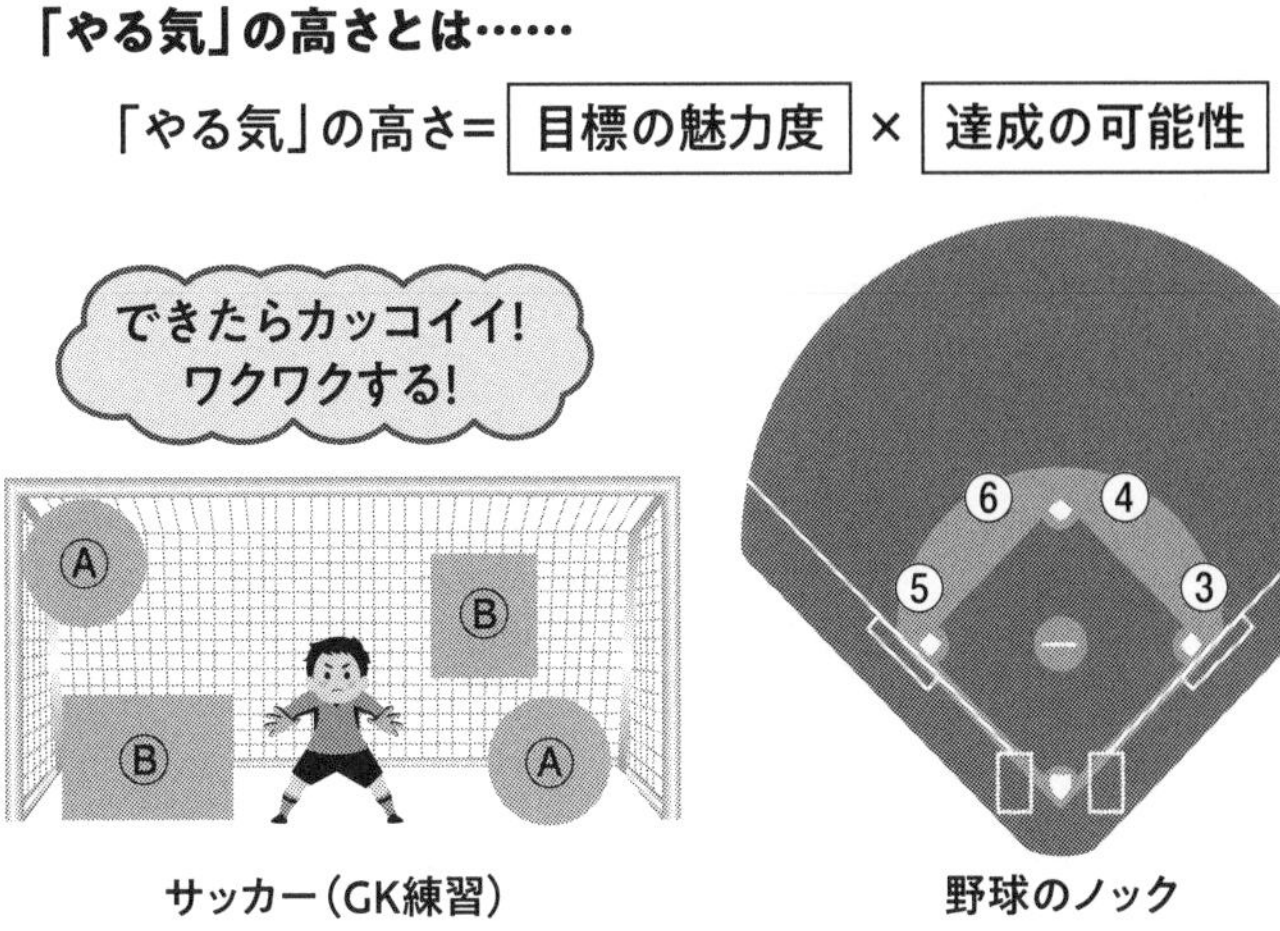

ウォーミングアップの時は、GK目がけて正面に蹴る。攻撃者として得点を入れたい時は、例えば向かって左上とか、右下のⒶのところを狙う。いざGKのトレーニングでは、少しずつ図のⒷに狙いを移動しながら蹴り、GKがキャッチできるかできないかのギリギリを狙う。Ⓐのところに蹴っていたのでは、優秀なGK以外では、どう頑張っても届かずに有効な練習にならない。

　右側は野球の場合、内野選手の守備位置を凡そ書いてある。③（ファースト）、④（セカンド）、⑤（サード）、⑥（ショート）。これらの選手に対してコーチがノックして守備練習する場面の図。コーチがノックする方向は、おわかりのように「捕れるかどうか」のギリギリとなる。私自身は野球のノックをやったことはないが、ノッカーの能力、技術にはいつも感心している。方向だけでなく、強弱も加わりキャッチャーフライなど凄い技術だと思う。

この2つの例から「達成の可能性」を感じていただき、仕事の中でメンバーに与える目標のレベルを決める時に参考にしていただきたいと思う。前出（209ページ）の小笹芳央さんの著書の中に、「マネジャーはノックの名手にならないといけません」とある。

②機会創出の役割

基本公式を腹に落としてもらった後で必ず続けたいのが、それぞれの要素（目標設定、達成の可能性）に直接的に繋がる機会を創り出すこと。公式まではいろいろな方々がアドバイスしてくれるが、いざ実践となる場面では、「言うは易く行うは難し」となる。小笹芳央さんの著書の中で提示していただいた8つの項目について、従来自分がやってきたことを当てはめたり、不足していた点を追加して試したりと進めてきた。それぞれの事例を紹介するが、当時は成り立っていて、効果を出したものでも今の時代には世代交代、社会の変化もあって通用しないものもあるかもしれない。

仮想体験の中から、読者の皆さんのアイデアをたくさん生み出していただくことを期待している。

「上司の役割」として提示されたのは……

参画感、自己表現、貢献実感、自己選択、鏡映自己、他者理解、競争意識、自己投影。

この中で、参画感、競争意識、自己表現と高橋 朗さん（元・㈱トヨタ自動車副社長、㈱デンソー会長）からアドバイスいただいた仲間意識の共有、成功体感（達成感）を加えた事例を紹介する。

事例（1）――「実車コーナー」を手作り、内部構造が見える！

これは、生準活動（新製品、工程変更等の生産準備）の1つとしてやった、「実車コーナー」の準備と、活用の話。

生産していた品目は、乗用車用エアコンのHVAC（車室内ユニット）、コンプレッサ、コンデンサ及び配管・ホース。ダッシュボードの中の運転席からは見えないところに取り付けられるHVACは、その取り付け部や送風の吹き出し口での繋ぎにキーポイントがたくさんある。図面通りに製品を加工・組み立てしていても振動や風漏れ、異音といった問題が出やすいところ。図面に指示された公差の意味や、守らないと何が起こるのかの想像力を持つには、現物が何より有効となる。また、マニュアル操作のある機種では操作力やフィーリングも気になる。同じように、エンジンルーム内では、コンプレッサ、コンデンサの取り付け部位で同様なことがあるし、冷媒用の配管・ホースは、他の高温の部品や振動するエンジンなどとの干渉も重要となる。

そこで、自動車メーカーさんにお願いして用済みとなった廃棄予定の骨組みだけのボディーを譲っていただいて、車両を前半分だけに切断した後に適当な台座に設置する。全て自分達の手作りだ。エンジンは、解体屋さんで購入して、リアルな感じが出てくる。自分の作った製品を取り付ける時は、大勢で集まってワイワイガヤガヤで楽しい時間となる。

組付け状態の「ガタ」や、他部品との干渉を肌身で感じながらチェックしてもらう機会。ゴム製のホースは、その剛性と弾性によってフリーの状態で見ていた図面とは異なった現実を体感できる。自前の工具を使って組付けると、工具が他部品と干渉したり、手が入らないところも出てくる。同時に、理解できなかった製品構造の根拠を知って、みんなで納得することは貴重な体験だった。目と頭だけで図面から理解し、想像することと五感+手足で体得することとの大きな差が身に染みた貴重な経験だった。

こういう活動の中で、いろいろなアイデアが出てくる。車室内吹き出し口にリボンを付けて空気の流れを見えるようにしたり、配管・ホース部の表面に冷媒の流れ方向や気液区分（冷媒は、運ばれる途中に液体から気体に変わる）を書いたりして製品教育の題材にも変化していった。

中型のワンボックスカーでは、車両底面の配管の様子を見やすくするため、台座を傾斜したものに変更し、床面に鏡を置いて見やすくする、任せておけばどんどんと思い付き、やってくれた。

　メンバーの自主的な活動が進むためには、「アッと驚く仕かけ」で心を動かしたり、「準備を最小限に留める」ことで自由度をできるだけ多くすることが上司の役割と再認識させられた。普通の仕事のように計画的にしないのも一法。

　普段、真面目に仕事をしている人は、往々にして、キッチリと計画を作って、周到な準備をした後に取りかかるクセが付いている。この時は、管理者としては意識して、手を抜いて部下の活躍舞台を作り出すことも大切なことと学んだ。

　他の人に見せるモノではないので仕上がりは気にせず、愛着、満足のほうが大切と思う。手作りなので、後になって変更、改造しやすいこともあり継続性には役立った。

事例(2)—改善箇所を「名付け」する

中小企業での改善箇所の「名付け」。

使用済みの段ボール箱を破断、加工して梱包用にクッション材を作る工程。この装置は、従来よりその加工部分からたくさんの粉塵が発生し、集塵機が併設されていた。本体の振動を受けて、集塵機に繋がる吸引ダクトと粉塵発生部との結合が変化して緩み、隙間から漏れ出てくる粉塵の量が多くなってしまった。いつの間にか、マスク着用が必須の工程となってしまった。目にも良くなかった。従来から幾度も結束部の手直し、調整を繰り返してきたものの好転せず、苦戦続きの工程だった。ある時、担当しているIさんが、発想の転換をしてくれた。古《ふる》段ボール箱を細工して、装置の結合部全体を覆ってしまう方法。二重構造となり、漏れた粉塵も回収しやすくなった。改良版を試してくれて、見事に外側に出てくる粉塵が激減した。最後は、「段プラ」というプラスチック製の通い箱材料を加工して、取り付け・取り外しが容易になるように仕上げてくれた。

この被せモノには、「○○(Iさんの名前)フード」と命名し、名前シールを表面に貼ってもらった。

ネーミングとしては、床掃除機能を付加した運搬車にニックネームを付けたり、ゴミ吸引用のダクトの「△△象さん」と名付けたこともある。自分達で手作りし、自分達の仲間として一緒に働いてもらう相棒。少し照れてしまう人もいるが、まんざらでもないことが多かった経験。

(Ⅱ) 競争意識

ライン別の出力競争の事例を、第4章・応用段階の5－(4)の事例(1)として書いた(204ページ)。この活動は、その後海外拠点との合同活動にも発展し、各種データをリアルタイムで共有したり、改善のヒントを交換したりと「ＩｏＴの走り」のように保全部門を巻き込んだ活動に進化した。

(Ⅲ) 仲間意識の共有

事例(1)―「おせっかい」を言い合える関係を目指す

モノづくりの工場では、お互いに仲の良い友人のような協力、援助もある。また、前項のように競い合って高め合うことも良い。こうした共通した目的・目標を目指している間柄には、相互に立場を知り、理解した上で刺激し合い、協力し合うことで仲間意識が芽生えてくる。こうした仲間同士であることが前提ならば、お互いに一歩、二歩と踏み込んだコミュニケーションにより、さらに仲間の絆が強くなる。コミュニケーションのレベルとして、最高位は「おせっかいが言える、おせっかいを聞き入れることができる」(前出：第6章－2－(7)「コミュニケーションの維持、向上」・307ページ)。ただし、お互いの信頼関係、人間関係の準備が整っていない状態では、マイナスの方向に落ちてしまうリスクも用心したい。

この「おせっかいと言い訳ボード」については、大河滋さんの著書『デンソー 世界の車を支える最強技能集団―モノづくりの原点・人づくりの源流―』(マネジメント社、

２００４年）に書かれてるが、大河さんに取材を受けた後に、本では「他社ではそんなボードに書き込む者はいないでしょう」との大河さんのコメントだった。種明かしは、第３章、基礎段階の５－（４）「反応を定常化したい」というところに書いた（１０８ページ）。

身近な現場での気づきや前向きな改善案のほうが、品質問題よりもおせっかいを言いやすく、受け入れやすいと思って始めた活動は、時間が経ってから品質問題への取り組みにも良い面が出始めた。このように、知らず知らずに仲間として話し合い、助け合う習慣が少しずつ始まったが、焦らず様子を見ながら進めることが大切と思う。人の心は理屈で考え、理解する程速くは変わらないもの。

参考までに、人の心が瞬時に変化するのが、ネガティブな感情に触れた時だと思う。男女のモノの考え方、捉え方の違いが書かれた本の中で、一般論だが、男性は理屈で考えて理解したい人が多く、女性は感情が優先する場合が多いとあった。自分の周りにも合点が行くケースがあった。モノづくりは、過去では男性社会中心であったが、女性活躍の推進も急務であるし世代間ギャップも考えておく必要がある。人の心の動き、変化に対してコミュニケーションを意識して密にし、増やすことが今後の課題になってきていると思う。

事例（２）―朝一現場活動

いろいろな製造部門でそれぞれに応じたやり方で、週に3回とか、毎朝とかやってきた。内容は、前日までの生産状況、問題点の共有、困りごとの打ち上げ、及び本日の活動ポイント等である。

その他に、朝一メンバーが力を合わせて集中活動する事例を、第6章、管理者の役割2－（1）「行き詰まった時の打開策」－事例（1）でプレス工程での廃材清掃を書いた（282ページ）。単一部署だけではできなかったり、進め難いことを一気に動かし始める時には有効となる。このような集中活動は15分間程度でもはっきりと印象、記憶に残りお互いの仲間意識が芽生え始めてくる。ただし、タイムリーなリーダーシップが不可欠。

（Ⅳ）成功体感（達成感）

〈その1〉ノンストップ活動

日々の地道な生産活動の中から少しずつ、１つずつ改善を積み上げていく姿は、理想的だが現実にはなかなか局面打開できずに壁に当たってしまい、中断することがたくさんある。放っておくとやる気の減退や職場全体のモラルダウンにもなってしまう。この段階までになる前に手を打つ必要がある。

第4章、応用段階の4-5-(4)「負荷を変えてみる」-事例(2)で書いたが(207ページ)、現実にはあり得ない好条件を時限的に作り出して関係者に「1段上の違う世界、風景」を見えるようにし、その場に身を置いて成功体験を実感してもらうのだ。この状態では、体の感覚が異次元を味わって、心も動く。「達成の可能性」として、「もう少しでできそうだ」「やれた時にはこんな姿になるんだ」ということを体感してもらい、やる気にスイッチを入れてもらいたいもの。前にも書いたように、1度体験、体感すると体の動きも変化し、1段上のレベルへのチャレンジに対するハードルも下がるというもの。

余談だが、最近自分の体が硬いことを改善するために「初動負荷トレーニング®」※4(小山裕史さん考案)を友人の佐藤隆治さん(前・サッカー国際審判員)から勧められてやっている。高齢者にとっては、転倒防止、骨折防止には必要なことと理解した次第。毎日のラジオ体操だけではできない動きを、ウエイト負荷の少ない機器を使って「可動範囲を広げる」。この効果を体の動きだけでなく、心地良さで感じている。体・心の動きは、次に向けた継続意欲や向上心に強く繋がることを実感している。

話を工場での改善に戻すと、組付けスピードなどを強引にでも変えてみることにより、体も馴れるし次にやることも見えてくる。新たな問題点の発掘、違和感の気づきが出てくる場面だ。小さな成功でも、メンバーの力を合わせた共同成功体験は大きな変化になる。人間は、得た達成感を個人的ではなく仲間と共有したい、共有していることを確認し合いたいというものだと思う。我々の身近な「見るスポーツ」でも、容易に理解できる。

〈その2〉現場での表彰式

成功体感とセットで考えたいのが、その活動を認めること、褒めること。第6章、管理者の役割1－（2）「人の管理」でも書いたが（264ページ）、部下の活動を認め、褒めることの大切さ、方法を示した。従来、何か表彰案件があると、部門内の幹部の集まる会議の場に来てもらい格式張って、何か権威を見せているのかのようなやり方だった。我が国の社会では、叙勲や大臣表彰などのように忙しい偉い人のもとに参上し、格調のある部屋や場面設定で受けることが普通になっているかもしれない。まあ、そのような普段は入れない場所に呼んでもらうことが、一生で1度くらいの貴重な体験、ということは結構なことだが。

ある合宿研修の後半に、お決まりでやる懇親会の中で「みんなの前で表彰する案」を変更することについて意見を聞いてみた。確認したポイントは、「誰の前で表彰される

※4　「初動負荷トレーニング®」は、㈱ワールドウイングエンタープライズ代表、小山裕史博士が発明・創案したトレーニング法。

とうれしいか？」という点。概ね、賛成の意見が多かったので、早速試しにやってみた。意外に受けが良く、やり方の改善も進むというラッキーな成果があった。

表彰対象は、改善実施表彰、資格取得表彰、QCサークル効果事例発表、さらに社外部活動での好成績など、身近なもの。朝の始業時に該当職場の朝礼に出席し、みんなの前で表彰状を読み上げたり、現物を示したりする。全員が見やすいように、移動朝礼台を作ってくれた。賞状の贈呈後に、無茶ぶりで受賞者インタビューをしてみると、日頃心がけていることや、特に頑張ったことを話してくれた。カラオケの影響だろうか、マイクを持って話をすることへの恥ずかしさや抵抗感はずいぶん減ってきた。

表彰される人の表情に着目して、どちらの方法が「素敵な笑顔」なのかを見れば、答えは容易に決まる。本人の成功体験披露が、同僚にとっては「仮想体験」となり「自分でもできそうだ」という心の動きが始まっていた。

(V) 自己表現

〈その1〉付箋紙活動

第3章、基礎段階5－(3)「反応するタイミング」(106ページ) で書いた付箋紙活動は、1人ひとりのメンバーが自分の気づきやアイデアを「ひと言」で書き出すことによって参画するだけでなく、自分の考えを表現できる機会になっていた。

ブレインストーミング、KJ法などに馴れている人もたくさんいる。ただし、若い世代の人達には共に活動することに馴れていなくて避けたがったり、自分が必要な情報だけを効率良くキャッチしたい人も増えてきている。我々が若い時のように、半ば強制的でも当たり前、皆やっている、ということで苦もなくスタートできていたことは改める必要がある。キチンと方法や、効果、役割を説明しながらポイントを腹に落としてからスタートする、といった「場のマネジメント」が大切になってきた。ファシリテーションの腕を磨く必要が増えてきた。

参考：『場のマネジメント　経営の新パラダイム』伊丹敬之、NTT出版、1999年
『場の論理とマネジメント』伊丹敬之、東洋経済新報社、2005年

〈その2〉班長、現場改善報告会

班長格の人達の改善を現地・現物・資料なしで話してもらう場。100人程度いたので毎週決めた曜日の午前中に数人ずつやっていても、1年間で2巡程度だった。内容は、「最近やった改善内容の報告」を5分程度してもらうもの。

現物の品物、設備が近くにあるので、現場を歩き回って説明してもらうというやり方。現場の班長さんは、資料作成の機会も少なくて、わかりやすい資料の作成ということは高いハードル。事務部門、営業部門でも同じと思う。管理者が「書き物」に馴れた

人の場合は、安易に「紙」を期待してしまうことを自分で制御する必要がある。「口だけじゃ、わからん！」は禁句。

現場の改善に話を戻して、上司に説明するということも慣れない場合が多く、焦らずに個々に聞き直せば、活き活きと語ってくれる。自分のペースで自分のやったことを話すということが本人の満足度を大きく引き上げ、モラルが上がる実感を何度も味わった。途中からは、年に2回巡ってくる機会に合わせて、改善を企て日々精進してもらう姿をたくさん見ることができた。

聞き役として頑張るところがある。5分程度で話してもらう改善をその場で理解することは当たり前。合わせて、班長さんの話を聞きながらその人の取り組み姿勢の優れているところ、改善を他の類似工程にも展開したらどんな効果が出てくるのか、などを頭の中で整理しておきたい。そして、発表直後にこちらから1つずつ聞いていく。後半には、今後の継続した改善への期待を頼む。これらの瞬発力は、その後のいろいろな場面での「聴く時の心得、能力」として身に付けさせてもらった。ポイントは、本人の話さなかったことを「聞く側が表現」してあげること。例えば、「改善を完成できたのは、部下の力の引き出す工夫が凄い」とコメントしてあげる。自己表現の援助・手伝いは上司の大きな役目。

コラム　身長差にも気を付けよう！

読者の方の身長はどれ程ですか？　170㎝以上の人は要注意！

私自身が173㎝でして、比較的背の高いほうでした。中高年齢の方には背の低い人もたくさんいました。報告会の場面は、班長さんの上司である係長と私（部長）、改善事務局のスタッフだけです。職位面と物理的な面で「上から目線」となりがちでした。そこで、班長の話を聞く時には、現場を見ながらしゃがんだりして相手の目線より高くならないように心がけました。子や孫達の保育園を思い出すと、保育園の保母さんは園児と面と向かって話す時には、必ずしゃがんで相手の顔をよく見て、目線を合わせて話されています。ここがヒントでした。

大雑把に170㎝以上と言いましたが、上級者は物理的な目線合わせにも気を配る必要を理解ください。

第7章

管理者の心構え

第5章、自己管理の中で担当者も含めた全体としての「備え」と「構え」について書いてきた。ここでは、本書の最終章として、「改善活動が継続したもの」として定着するために、工場管理者、経営者に特化して、特に意識したいこと、心構えについて考えた。

これまで書いてきたように、モノづくりの会社・工場では、従来の経験とは異なった変化や想定外のことが起きてくる。数々の失敗体験や、修羅場くぐりを通して得てきたこと、教訓としてきたことをベースにまとめる。

1　権限と権威

第6章・管理者の役割2－(8)「やる気向上の進め方」(320ページ)の中でも引用した小笹芳央さんの著書『部下の「やる気」は上司で決まる』から、さらに参考にできて引用したいことが「権限と権威」。

小笹さんは、「権限を笠に着る上司のもとでは、部下の心は離れていく」「権限では部下は動かない」「重要なのは『権限』ではなく『権威』」と言われている。自分なりに咀嚼して、社内で説明したものが以下の通り。

上司、先輩として励みたいこと

会社の中で、上司の行動がその目的や狙っている姿に合ったやり方になっているのかどうかということを考えてみました。

会社では、仕事の分担、指揮命令系統がはっきりと決まっています。コミュニケーションや相談の後、決まったことは全員の目標として共有され、１人ひとりがそれぞれの持ち場・立場で最善を尽くし、一丸となって協力しながら活動するのが当たり前となっています。

この中で、上司は様々な場面で「決める、指示する」といった行動を取ります。この時、上司は「権限」を行使しますし、もちろん「責任」も取ります。先輩として指導したり、アドバイスしたりすることもあります。

では、受け手となっている部下や後輩の皆さんの受け止め方はどうでしょうか？我々上司、先輩として気を付けたいことは、部下や後輩の皆さんがどのように感じ、どう受け止めているかということに気を配ることです。そして、共有した目標を達成することです。

部下や後輩の皆さんが活き活きと仕事に励み、同じ目標に向かい、そして達成し、成長してもらうためには、上司、先輩の指示したことへの信頼感が大切ではないでしょうか！

　この信頼感は、常日頃からの我々の行動の中から生まれてくるものだと思います。例えば、ある人が普段から自分自身の実力をもとにアイデアを出し、過去の（失敗）経験から部下、後輩のニーズに合わせたアドバイスをしてサポートしている、とします。「……さすが！　あの人の言うようにやったらうまくできた」と思ってもらえた時には、指示した人への信頼感は大きくなり、その後の関係もうまく回っていくと思います。

　少し難しい言葉ですが、この信頼感を感じてもらえる人は「権威」で仕事ができているると思います。

　これに反して、信頼感がなかったり、少ないと指示・命令中心の「権限」に基づいた仕事になってしまいます。

「権限」に基づいた仕事は、一見スムーズに進むように見えますが部下の人達の達成感は小さなものになってしまい、注意する必要があります。

　自分自身に振り返ってみて、実績や実力を蓄えることに励み、周りの人達に信頼感を持ってもらい、「権威」で仕事が進むようにしたいと思います。

　これは家庭での「親子の間柄」でも似たようなことがあるかもしれません。（２０１１・４）

この後にも、いろいろな場面で考え実践し伝えてきたが、この「権限と権威」が当たっていることがたくさんあった。

子育てでの反省も考え直してみると、多くの共通点がある。また、業界団体の仕事やサッカー協会での仕事でも「有言実行のもと」として使っている。

2 監督はどこにいる？

会社、工場での監督である管理者の立ち位置について、その物理的位置と精神的な居場所について書く。読者の方にとっては、身近ではないかもしれないがサッカーの監督での2つの事例から仮想体験してみていただきたい。

(1) 大好きだった……Mr. Howard Wilkinson (リーズ・ユナイテッドFC監督)

1度目の英国赴任地は、イングランド北中部のリーズだった。会社の仕事、日本語補習校の立ち上げに加えて審判活動もやり、試合観戦も楽しんだ。あのトップスピードでの「蹴る、止める」が正確なこと、強烈なボディーコンタクトに対する態勢でのボールコントロール、ダイナミックなサイドチェンジ、と今まで見たことのないサッカーを生で見て大いに興奮した。特に、テレビ放送では見えない「ボール周辺以外の動き」がいい勉強になった。審判方法についても国内で教えられたやり方とはずいぶん違っていた。観戦する時は、いつも前から4、5列目の位置で見ていたので、プレーだけでなくベンチの様子もよく見ることができた。大歓声と早口英語のため、何を言っているのかまではわからなかったが、雰囲気は十分に感じることができた。

リーズ・ユナイテッドFCの監督であったHoward Wilkinsonの行動は、テレビ放送では限られているが現地で観察していると、考えさせられることがたくさんあった。前半は、ベンチにはいない。観客席の最上段近くにいつも座っていた。

ベンチには、№2のコーチと数人の選手、医療スタッフだけ。現在のように、リモートや無線通信機器を使いこなすこともなく、前半の監督は自らが決めた先発メンバーに伝えた作戦と、個々のプレーヤーのパフォーマンスをみつつ、全体を俯瞰的にみて、考えているようだった。前半が終わると、ロッカールームに向かい、その後の後半はベンチにいて陣頭指揮。

当時は、現在のようなチーム役員がピッチ近くまで出てきても良いエリアの設定もなく、ベンチで立ち上がって大声を張り上げている程度だった。交代枠3人をどのタイミングで誰を使い、何を授けるのかがポイントだった。

前にも書いたように、日本代表監督の森保一さんからも「ベンチから何かを言っても大観衆の声、歌で伝わりません」とのことだが、同じだ。選手達が、自分で感じ、考え、判断しさらには同僚と相談して対応を変えていくしかない。そのように訓練されてると思った。

会社での仕事でも、立ち入るところと任せるところとの使い分けを考えさせられた監督だった。

(2) 会社のサッカー部・監督だった時

監督を頼まれ、指名されたのだが、実態は、名ばかりだった。県協会公認コーチレベル（現在のC級、D級レベル）だったので、大した技術的なアドバイスもせずに、練習では一緒にボールを追いかけているスタイルだった。みんなが残業2時間後に集まって練習しているのを、黙ってみているよりも一緒に練習の渦の中にいたほうが、自分自身でやっている気になっていたり、どこかで自己弁護していたのかもしれない。5年間の後半になって、気づきがあって物理的に距離を置き、高い位置から全体を見るように変えた。ハーフタイム時の指摘、指示も3点に絞るように変えた。ちょうどその頃に、仕事では係長になった頃と思うが、共通するところが多かった。

このように会社の仕事の中でも、若い頃は役職が付いてもプレイングマネージャーのように、自分が率先して実務をやっていることが組織のためになると思い込み、自己満足していた時代だった。課長職になって、やっと自分の立ち位置が間違っていたことに気づいた。どこかで、繁忙さの環境を言い訳に管理の立場、立ち位置から逃げていた自分があったようだ。このほうが楽でもあった。

長い間、同じ職場にいると全体の状況はよくわかってくる。したがって、敢えて俯瞰的に見ようとすることを忘れがちになる。改善活動、とりわけ継続して地道な活動を推進する場面では、一緒になって改善をすることも楽しいし、部下の人達も上司、トップが参画してくれることに拒否の姿勢はなく、歓迎し喜んでくれているように見える。気を遣ってくれているかもしれない。サッカーの事例からの展開で「俯瞰的に見る」人が必要であるし、誰も見えていないことに気づく必要がある。

関係者が多く、関連部署も広くなっていく改善活動での指揮官の立ち位置を、物理的な位置と精神的な居場所という観点で考えてもらうと、進めやすいと思う。

日々の改善、生産活動が大きな問題なしに続いていると、ついつい安易なほうへ逃げてしまいがち。部下の人達からの期待は、どうだろうか？　部下にとって、指揮官がある程度自分達の最前線での苦労をわかってくれているのならば、指揮官（監督）

は手足を動かさずに、目、耳・鼻と頭を使うことのほうが大切な役割であると思ってくれていると思う。

このことは、品質問題対策、新製品生産準備、さらには会社経営までも広げて考えたいもの。「目と耳は2つあり、口は1つ」と聞いたことがある。この割合の配分が良さそう。

3 「アンテナ」に助けてもらう

上に立つ者、リーダーとしての心構えの1つに、如何に多くの正しい情報をキャッチできるか、というテーマがある。一般的には、ある程度の規模の会社、団体では部下の人達や№2以下の仲間から情報提供してくれる。ただし、待っているだけの「報・連・相」では限りがある。気を付けておかないと、いつの日にか、耳障りの良い情報に偏ってしまっている。

2度目の英国勤務の時に、従業員1600人と1000人の2社を兼任した。この時は、400㎞離れた2社を毎週往復するため時間にも限りがあり、事業再編、スリム化組織への変更、人員削減……と多くを変える必要性に迫られていた。

そこで使った方法が、「アンテナ」。通常の会社運営では朝一活動、現場巡回を通じて情報を入手できる。また、オフィスが大部屋方式であったために、どこかの部署で何かの変化があれば聞こえてきて、「何だ？」とアプローチできる。事務室の中に比べて工場の状態を知ることには、「真実が見え、本音がキャッチできる」ことが大切だった。このために助っ人が必要となった。

4人の助っ人＝「アンテナ」は、具体的には①従業員会のリーダー、②前・組付け班長でトレーニング担当の女性スタッフ、③倉庫のフォークリフトドライバー、④前工程の班長だった。毎朝、現場巡回している時に、必ず顔を合わせてひと言の話をする。毎日の仕事の中で変わったこと、気づいたこと、不満、他の従業員の様子などをどんどん話してくれた。時には、会社としてみんなの和を大事にするためのアドバイスをもらったり、やる気向上の施策を思い付いた時には、まだ軟らかいうちに話してみて感触を教えてもらったりした。「そんなこと、やってもダメ！」「前社長が同じようなことをやったが、我社では機能しないよ」というように正直な意見も言ってくれた。また、うまくいくのかどうかわからない時には、協力者になってくれたり、オピニオンリーダーとして、私の説明が足らないところを補い、助けてくれたこともある。

中小企業に移ってからは、1人ひとりの顔と名前が全員一致する程の90人くらいの規模だったので、毎朝の巡回ではほとんどの人と挨拶を交わすことができ、アンテナのニーズは少なかった。しかし、この機会を利用して、言い難かったこともポロッと伝えてくれた人もいた。ただ、どれ程本音が聞き出せたかという点では不足しており、やはり「アンテナ」的な存在が機能して、助けてもらった。

ポイントは、ただ単に出たとこ勝負で聞くのではなく、「あなたは私のアンテナだ」と個別に頼んでおくこと。そうすれば、そのつもりで情報収集もしてくれる。出張が多く、ブランクがある時などには、大変ありがたい存在となる。営業所などの離れた部署についても、アンテナから貴重な信号が得られる。

4 「潜在力の発掘」は、意識的にやりたい！

日常業務は、どうしても予め計画したことの遂行や、その組織で継続的にやっていることの踏襲が多くなる。部下の人達の能力は、それぞれの人財育成計画に基づいて進められると、平均的に育っていくように思い、成り行き任せになりがちとなる。時々必要なのは、潜在する能力をどうやって発掘、発見するかの動き。これは、待っていても出てこない。意識をして「何か隠れている能力があるはず」という姿勢で臨む必要があると思う。

ある時、女性従業員から「私達、女性は夜勤をやってはいけないのですか？」と質問された。この時は、即答のうまい返事ができなかった。会社のルール上は、何の問題もなくできるはずだが現実にはやっていなかった。では、来月から開始できるのかというと、すぐにはできない。その後、希望者、協力者が確認できたため、ある2直勤務の組付けラインをモデルにして、準備を始めることとした。

女子更衣室から現場までの動線を確認して、不都合なことはないか？　食堂までの通路は良いか？　女子トイレの照明は良いか？……と思い付くことを手がけたが、2つ問題があった。1つは、急な体調変化に使うことができるような女性専用の鍵付き休憩室、2つ目は駐車場の照明が暗いところがあった。昼勤者が既に駐車している状況では、空き場所は出入り口から遠くなり、結局夜勤者用のスペースを確保することにした。3か月ほどの準備で開始に漕ぎ着けることができた。

ここまでは会社側の準備だが、同時に並行してやってくれたのが女性従業員のロボット取り扱い認定の取得だった。組付けラインのほとんどに水平多関節型、垂直多関節型のロボットがそれぞれに5、6台設置されていて、日常のメンテナンスと部品・製品の微妙なバラツキによるロボット動作の微調整が必要だった。そのオペレータに女性達が立候補し、資格取得してくれた。頼もしい限りだった。これは、管理者側から頼んだというよりは率先してくれたので、潜在能力を作り出してもらった後に、知ったという受け身だった。こういう時に、可能性を嗅ぎ分けてチャンスを作り出すことが必要だった。反省しきり。自分自身の固定概念だけで潜在能力の発見、発掘をサボっていた。開始して間もない時に、別の予想外の結果が出てきた。ライン稼働率が上昇した、という結果。男性中心のモノづくり集団の中で女性が同じように頑張ってくれると負けず嫌いがいたり、良いところを見せようとする男性の心の動きもあったようだった。反対番の稼働率も同じように上がったことは、後追いだが合点が行った。

いずれも、潜在能力の発掘を当事者にやってもらったという、管理者としては失敗体験。以後、何か変更を企てた時には、潜在能力を発掘する責任を持って臨んだ。

別の会社で、男性の育児休暇（6か月間）取得の時には、当人と、周りの仲間に新しいチャレンジをしてもらう機会作りという課題があり、ここでは挽回できた。

5　自分の決断が間違っていた時、どうする？

通常の業務、品質問題対応、改善活動などにおいて大きく分かれる2案のどちらかに決める場合がある。妥当で正しい判断、決断をするつもりだが、何らかの認識不足があったり、思い違いや思い込みのために、大方の部下の人達の意見を曲げて押し通したことが幾度かある。結果が思わしくなくて「やっぱりダメだったじゃないか！」と部下から非難される局面を想像し、仮想体験してみていただきたい。

どこかで方向変換、方針変更する必要があるが、大変カッコ悪いものだ。そのまま押し通し続ける最悪のパターンは論外なのでオミットする。さて、方向転換する時には、少なからずプライドを守りたい気持ちが邪魔をしたり、面子を守りたい欲もチラチラ顔をのぞかせる。英国勤務時代は、親会社の日本から派遣されている指導的な立場だったので、普段強引に押し通していたこともあって、面目丸つぶれとなると今後の運営にも心配が出てきた。

その英国勤務時代では英国人部下のMr. Stuart Robinsonに助けられた話。

新しい設備の設置場所を決める時に、諸案の中から2案に絞った後、最終的に決める立場だったのでA案に決めた。この時、大方の部下の意見はB案だった。詳細の比較は忘れたが、モノの流し方の根本思想が気に入らないB案を避けたことを覚えている。結果は、1週間程ですぐ表れてきて、どうしてもA案のままでは、挽回できない状況となってしまった。数少ない日本人出向者が指導的な立場にいることもあり、他の出向者にも影響が及びそうで、今更「私の判断、指示が間違っていた」ということが言い難い状況だった。そこで、直下の部下であるStuart と夜遅くまで二人だけで話して方針変更することとした。本音も全部さらけ出した。

次の朝、関係者全員に集まってもらいお詫びと共に方針変更を告げた。反対する者はいなくて変更工事がすぐ着手された。後日聞いた話によると、Stuartが関係者の個々に時間をかけて説明してくれたそうだ。大変助けてもらった恩人。

それ以後、「決断は早くする必要があるが、間違うこともあるのでその時は潔《いさぎよ》く謝るべし」を自分の心にしっかり留めた。

別の会社、部門でも複数回にこのような決定事項の変更場面があり、大きな抵抗感もなくできるようになった。

先日聞いた話では、「人は誰でも間違いを犯す。その時は、『私がやりました、すみませんでした』と正直に言えるかどうかで、その人の品位が決まる」とのことだ。

6　異論を言ってくれる……No.2を意識して持つ！

国のトップである政治家の周辺では、トップとNo.2または側近との間に意見の隔たりがあったり、異論がある場合それぞれの動き、発言がメディアの取材対象としてシビアに観察されている。このため、おかしなことがあるとすぐ話題になる。「Yesマンばかりの集団」「人事権を振り回した強引な誘導」さらには「忖度」まで出てきてしまい、テレビのニュース関連のモーニングショーのネタにされている。視聴率が気になるとさらにエスカレートする。

しかし、会社という閉鎖的な社会の中では、出来事や中枢の運営状況が表には出にくいもの。それゆえに、余計に上に立つ者が考え、心構えしておく必要があると思う。

従来から長く担当してきた直属の部下がいれば、その人物からの反対意見を傾聴するように心がけることは、最も早い近道。もちろん最終決定者としての見解、責任をもとに異なった決定となろうとも、反対意見に対して真摯に向き合うことが大切だと思う。聞く耳を持たないと2度と出てこない。助けてもらえないし、足を引っ張られるかもしれない。内部告発に発展するかもしれない。

次に、人選。厳しい意見、指摘を遠慮せずに言ってくれる人をそばに置いておくこと。そうすると、やりたいように進まないことや、決定までに手間がかかることも出てくる。自分自身も完璧な人間ではないことを十分に理解して、№2や№3の人達に自分の意見をストレートに言ってもらう場面を作りたいもの。場所設定も大事だと思う。大勢の前ではお互いに言い難く、きき入れにくいもの。週に1回程度、定期的に何ら懸案事項がなくても二人で話ができるような「窓」を構えておくことが大切だと思う。

中小企業仲間で話していると、オーナー企業ではトップと№2との距離が大きい場合もあるようだ。かなり意識的に、指名したり、頼んだりすることがうまく進む秘訣のように理解している。そうやってうまく運営されている事例もたくさん見てきている。

会社以外の組織、団体でも似たことがあるように思う。

7　冗談は、危険！

欧米では、冗談＝ジョークとしてどこかでは必要なものであったり、コミュニケーションの潤滑油のように勧められるケースもある。ジョークの1つもスピーチに入れられないことは、評価が下がったりする。しかしながら、日本国内でいう「冗談」と海外で使われる「ジョーク」に微妙な違いを感じている。私は、冗談に対してかなり否定的に捉えていて、冗談から発生するリスクを防ぐためには親しいコミュニケーションに対して、ある程度ブレーキがかかってしまってもしょうがないと思っている。

ある大学のアメリカンフットボール部での悪質タックルがあった事件などは記憶に新しいところ。パワハラやセクハラ、モラハラ事件で軽い冗談で言ってしまった言葉が、相手の受け取られ方でまったく逆の方向に走ってしまうのをたくさん見てきた。

「冗談の定義」は……「遊びで言う言葉」「ふざけた内容の話」「戯れにすること」「いたずら」だろうか。使い方については、「遊びや戯れの中で使われるもの」は、問題ないと思う。

しかし、「仕事の中で。意図を伝えたい時に使うもの」は問題がありそうと思う。戯れながら仕事をしたり、遊び感覚で仕事の話をすることはないと思う。どうしても冗談を使うのならば、それなりの覚悟と状況判断の前提で使われるべきものと思っている。堅苦しいと抵抗感を持たれる方々も多いことは想像しているが、昨今のハラスメント状況を考えると反面教師として安全側に立ちたいと強く思う。言い換えると現在では、「受け手の感じ方」中心の判断基準によって仕事をすべき状況となってきている。

以前のように、「冗談が言い合える職場、間柄」を「親しくて良好」な雰囲気であるとするのは難しくなってきた。

ここで、私の失敗談を2つ披露する。これらは、2012年来続けてきている自分オリジナルの「気づき塾」（373ページ　用語集）で使っている題材でもある。

（1）「怒り」を伝える時に、冗談を使うと……（失敗談）

1984年頃、場所は南アフリカ、プレトリアの技術提携先S社。新型製品を現地生産して、主要顧客（日系、欧州系）に納入するプロジェクトで、事前に何度か1、2週間の出張を重ねた後に、最終段階の設備立ち上げ、試作品生産、納入までを現地会社の仲間と共に単独出張で1か月滞在を期限に支援していた。相手の社長以下全員が日本語を使えず、英語かアフリカーンスだった。

プロジェクトの全体計画書は会社同士で約束し、具体的な実行計画も実務レベルで合意していた。通常、このようなプロジェクトでは個々の実施事項に問題が生じたり、遅れることが多いもの。遅れ対応に対しては、定期的にフォロー、確認して挽回策を作り、関係者間で担当の再割り当てをやって進めることとなる。しかしながら、技術的、物理的に如何ともしがたい問題点ばかりでなく、単なる、個人的、グループとしての「サボタージュ（サボリ）」で遅れたり、未実施だったりする問題点が、1、2度ではなく数回重なってきた。そして、全体計画の大幅遅れとなったために、お客様との約束が守れない事態が発生してしまった。

自分のやったことは……

- 厳しく指摘し、打開策を話し合い、合意・決定する場面を作った。そして、あまりにも「ことの重大さ」がわかっていないスタッフ、管理者に対してせまった。どうやったら「ことの重大さ」「自分の怒り」を伝えられるのかに困った。
- とっさのことで……日本語で「お前らー、ぶん殴られるぞー」と言ってしまった。
- 相手には、誰も日本語が理解できるものがいないことはわかっていた。

自分の「怒り」の感情は、相手に十分にわかってもらった（後日確認した）。
・当時、自分としては、こんなまずい表現、言葉を使ってしまった反省もなく、自分の気持ちが「日本語の極端な言葉」を発したことで、少し「ガス抜き」ができた。後から考えれば……もし、少しでも日本語が理解できる人がいたら大変なことになっていたんだ、と「冷や汗もの」だった。

（2）客先への返事案、部下に極論を伝えたら「まともに言ってしまった」（失敗談）

2004年、場所は、英国（シップリー）D社。お客様は、北欧のS社。
・前任者の時代に、買い側、売り側の思惑の結晶として大幅赤字製品を抱えていた。熱交換器の製品群。
・上司から「こんな仕事、何でやってんだ！　価格改訂を即刻要求に行ってこい!!」「先方に断られたら、止めちまえ！」……と、営業マネージャーとともに受けた。
・急いで、営業マネージャーがS社の購買マネージャーに面会。上司から聞いた文言をストレートに言ってしまった。予想通り、先方に「昨年合意した価格を今更、何を言ってんだ！」と、却下された。

・合わせて「あなた方の会社は、なんてひどい会社だ！ 日本本社に抗議する」と、脅された。
・上司に電話連絡したら、「ほんとにそんな言い方をさせたのか？」とのこと。
・その後、S社の購買担当役員を訪ね、お詫びと関係修復を画策した（1対1の「差し」の勝負、9時から16時までかかった）。
その日は、価格の再交渉のテーブルに着いてもらうための「次回打合せの約束」を取り付けるまでがやっと。
・それ以降、徐々に営業マネージャーを復帰させながら、交渉。……難航。
・最終的には、「最後の手」で手の内をさらけ出し、誠意を示しながら、人間関係を修復して決着まで漕ぎ着けた。
約1年を要した。

反省点：先方への「話し方」を、出張前ショートミーティングで確認していなかった。
この2つの失敗談から考えさせられるのが、「怒り」の伝え方。「怒り」を伝えたい人が思っていることは、感情も含めて次のようなことがあると思う。
①主旨をより明確に、受ける側の「腹に落ちる」ように伝えたい。
②怒っている自分の感情を伝えたい。

③やってほしいことを確実に伝えたい
④自分からの要求、要望に対して相手が反対姿勢ならば、相手の感情を害さないようにしたい。
⑤「断りの表現」によって、相手が予想外の反応をすることへの構えが難しいので避けたい。
⑥厳しいことを伝える時に、その場の雰囲気が暗くなったり、気まずくなることを避けたい。
⑦周りの人（非対象者）が半ば「笑い話」で過ごしてもらうことで、全体としては、険悪な雰囲気を避けながら、本人（対象者）にはグサリと伝えたい。
⑧相手の受け方を少しソフトになるようにしたい。落ち込んで後処置が難しくならないようにしたい。
⑨相手がそれほど敵対心を抱かずに、やんわり伝えたい。自分の利己的な防御？

また、「伝える」ことでの苦労は……
①ストレートな表現ができない。
②そのための適当、適切な言葉、話し方が思い付かない。
③準備している時間がない。

④伝え方のテクニックについて「引き出し」（自分のストック）が少ない。
⑤説得力のある話ができない。
⑥経験談で話せない、経験が少ない。
⑦仮想体験が少ない（読書、会話、観賞＝演劇、映画、テレビ番組、他）。
……のようなものがあると思う。

このように「怒りの感情が高ぶった人」が「伝えるテクニック不足」の状態でリスクの大きい「冗談」を使ってしまうことが多くある。工夫や努力でやってきたことは、
①まず相手が聞き入れる感情を作ること。その状態をしっかり確認すること。ある人が言っていた、「2ストライク、1ボール」（2つの良いところと、1つの惜しいところ）。
②自分から「自らの失敗体験」を使って受け入れやすくする。上に立つ者は普通に話していても「上から目線」となる。「この人もこんな失敗をしたことがあったんだ！」と距離を縮めると受け入れられやすくなる。
③いろんな題材（読書、会話、観劇、観賞など）から、仮想体験も使って人生経験を増やす。
ということだった。

リスク管理の観点では、「冗談は危険！」くらいの覚悟と注意をしたいと思っている。

しかし、どこかで2人っきりの時にはお互いに許せる範囲を承知して軽い冗談で楽しい会話をしたいものだ。

8 「箇条書き」的な仕事のやり方で、聞き分けて言い分ける！

「話上手」と思われている人、「話し好き」と思っている人に共通する傾向は、マイペースの長話。とにかく思っていることを口に出すことについて何の抵抗感もなく、喋り始めたら思い付いたことを次々に言い加え、相手の対応をキャッチしてさらに思い付いた事例を話し始めて、止まらない。果たして、相手に伝わっているのだろうか？　まさか、自分の博学さや広範囲な知識、経験を披露したいのではあるまいし。

また、3人以上集まると他の人が喋っている時に被せて話し始めるのを時々見る。テレビのニュースショーでも時々見かける。聞いているだけではゴチャゴチャになって聞き取れない。自分が放す（話す）ことが目的のようにも見える。

さて、会社、工場内で改善の話をする場面に話題を移してみると、話をする時の狙いは、相手の人が現場の問題点をよく理解してくれて、自分が言う提案や改善策に賛同してくれたり、適切な指摘をしてもらいたいことと思う。お客様訪問をして、商談をする時にも同様なことがあるかもしれない。相手に理解、納得してもらうためには、結果と成果に重きを置きたいもの。

たくさんの改善案を並行して進める場合が多くなってくる時の指揮・指導方法には、「箇条書き」的な考え方、伝え方を心がけたいと思う。メールの文面でも、人によっては長文で書かれているのを見かけるが、忙しい時には読む気がしないもの。「項目＋箇条書き」のスタイルならば、見て、直感でわかりやすく、すぐ理解し、返事をする気になる。文章ならば、字の大きさや色を変えたり、空間を設けたり、下線を付けて理解しやすくする術もある。話し言葉に戻って、話す時には、余程気を付けないと伝達効果が大きく異なる。

頭の中で「箇条書き」をしているつもりで整理してみるには、2つの切り口がある。1つ目は、時間軸。過去・現在・未来のどこのことを話しているのかがわかるように、時々キーワードを入れて話せば理解がしやすく、誤解も防ぐことができる。

2つ目は、項目、分類で整理することだ。「問題」なのか？「対応（解決策）」なのか？「事実」なのか？「推定」なのか？「自分の意見」なのか？「誰かが言っていること」なのか？これも話の中にキーワードを挟み込んでおけば、聞き手がわかりやすいと思う。

3つ目が、それぞれの内容。ここが箇条書き。それぞれで、最大3つくらいに絞ることが大切。「問題は、3つあります。①：○○○、②：△△△、③：□□□」とか、「改善策には2つの案が考えられます。1つ目は★★★、2つ目は＊＊＊」、また「まとめてみると、残した課題が2つあります。①……、②……」という具合。

これらは、予め整理されていないことが多くある。話し始める直前か、話の途中で整理した後に、できればキーワードをメモしながら、声に出して話し始めると良い。

時には、話しながら追加のポイントを思い出すこともある。この時は臨機応変で！相手の話を傾聴しながら、自分が次に話したいことを考え、頭の中で箇条書きにしてみる。これには、少々の馴れや訓練が必要。馴れるまでは、手元のメモ帳を活用する。相手の言っている要点と共に自分が次に言いたいことを、キーワードにして書いておく。そうすれば、一瞬でも事前の自己チェックができる。

たくさんの改善案、それぞれの進捗状況、適切なコメント、指示を即決で断行する立場では、自分自身だけでなく、部下に対しても「頭の中が整理しやすい方法＝箇条書き的」を実践、指導していきたい。

9　4つの「心構え」

最後に、改善活動を「継続したもの」と根付かせるために、経営者、工場管理者の「心構え」として4つのキーワードにまとめた。

ここまで、いろんな切り口で書いてきたので、最後に頭の中を整理していただくため、読者それぞれで感じ取っていただきたいと思う。

問題点を見つけ出す……………「工夫」

問題点をさらけ出す……………「勇気」

本音、真因を探し出す…………「努力」

1つひとつ処置し、改善してあげる……「習慣」

完

あとがき

エンドレス改善という、終わりのない永遠の活動が、会社の収益力向上、稼働率向上だけでなく、人財育成、各人の人生設計に繋がっていくことを書きました。実体験は1973年から2021年までのもので、時が変わり、世代が変われば昔の失敗・事件も笑い話です。また、失敗後の挽回活動での苦労話で終わってしまいそうです。何かを仮想体験して、「気づき」を持ち帰っていただければ幸いです。

実務活動を終えるタイミングである会社生活の後半に力を入れてきた改善活動は舞台が大企業であったり、海外であったり、中小・零細企業であったりと変遷しました。改善活動を進めること、とりわけ「継続した改善」としての力を持ち続けることは、容易ではありません。日々の生産活動、会社業務に奮戦していると、「今日ではなくて、明日以降！」となりがちです。誰かが、意識的にここのところを持ちこたえ、毎日の仕事、役目としてしっかりとやり続けることが必要だと思います。

日本のモノづくりが生き続けるために、技術革新、イノベーションなどにより圧倒的な製品の企画・設計力、生産技術力の向上と合わせて忘れてならないのが、生産現場に近いところでの地道な改善活動です。極論を言えば、改善をしなければ、弱体化・衰退の道に向かってしまいます。それくらいの危機感を持っております。

人間の心、気持ちに大いに支えられている「エンドレス改善」は、日本の得意技として今後も他国に負けない「モノづくりのコア」の1つとなることと信じております。

改善活動を進める時に、他から「バッチリの処方箋」を得ることはできません。自分で考え、悩み、仲間と相談してトライ&エラーを続けるしかありません。カウンセラーは、聞き役にはなってくれます。基本は自分で考え、自分で決める姿勢が大切です。理屈、「べき論」、他の成功事例を紹介しているコンサルタントの方々で実務経験ベースでない場合は、ヒントとして伺っておいて、後は自分で考えるようにしたいものです。

以前に正しかった決定が、状況が進むうちに不適切となることもよくあります。その時は、正直に状況認識、判断基準の違いや予測の不備を伝えて理解してもらい、前の決定を変更していく勇気が必要です。上司が謝ったことで、「権威をなくす、威厳がなくなる」ことは心配しないことです。かなりの確率で、部下からの賛同や力添えがもらえることが多いと、経験から思っています。

自分としてたった1度の人生を楽しく、満足したものとしたいと思い、この世を去る前に「これで良かった」と締めくくれるようにしたいと思います。そして、今までお世話になってきたことへの、直接・間接の恩返しをし続けたいと思っています。そのためにも、恩返しを続けていけるように学び続けて、ベースを整えたいと思います。

失敗学会の師匠である畑村洋太郎さん（会長）から教えていただいた……

「伝えれば、伝わるか？」……「伝わらない！」

「主体的に考え、動く人にしか伝わらない！」

伝えるために必要なことは、相手のテンプレート（知識、経験、考え方、価値観、行動様式、文化、気）を見抜くこと。そして、欲しい人が「相手から、自分がむしり取る」と思って行動する時に初めて伝わるもの、それが自分の糧となり、成長していく……とのことです。

また、大先輩の中尾政之さん（副会長）は、「情報伝達技術が進化しても、人間しかできないことは、『違和感』と『好奇心』を持ち続けること」とのことです。

年齢を積み重ねてきて、この「違和感」「好奇心」を持ち続けるためにどうするか！を考えてみると、古《いにしえ》を振り返って、学び直し、世の中の変化に敏感に反応し、未来に向けて学び続けたいと思うようになりました。そして、周りの人達が、何かを私から「むしり取りたい」と思っていただけるように、自分自身を磨き続けたいと思います。

楽しみなのは、周りの人達が活き活きとしていて、笑顔がいっぱいなことです。

この本へのご批判、ご意見、アドバイスをいただければ、またさらに精進して恩返しを続けたいと思います。

最後に、今までの会社生活でお世話になった上司、先輩の皆様のご指導に感謝します。また、同僚、部下として支えていただいた方々からの協力、支援に加えて時々の厳しい指摘、アドバイスを思い出しますと、「育てていただいた自分」を再認識していま す。助けていただいたことへのお礼を申し上げるとともに、今後の継続したお付き合いをお願いしたいと思います。

苦戦の連続だった長い会社生活を支え、助けてもらった妻・千秋と秘書・牧野由美子さんに感謝します。

また本書発刊に対して、幻冬舎ルネッサンスの板原安秀さん、山下達玄さんには辛抱強くご支援をいただきまして感謝申し上げます。

加古　眞（2023年春）

用語集

TPS：トヨタ生産方式（Toyota Production System）

ＪＩＴ（Just In Time）＝「必要なもの」を「必要な時」に「必要な量だけ」供給する。「引き取り（プル）方式」＝後工程引き取り型の生産管理方式。

参考文献：『トヨタ生産方式』（大野耐一、ダイヤモンド社、１９７８年）

トヨタ自主研：「トヨタ生産方式自主研究会」の略称

トヨタ生産方式の見方、考え方を導入するための活動。

仕入れ先メンバー会社が数社集まって、納入先企業から指導・支援を受ける「トヨタ自主研」がある。

部門長が中心となり、部門内の原則全員が自ら主体となって、仕事の改善を通じて職場・メンバーを成長させるあり方を、自部門に合った改善として自ら探求し、実践する。

ＭＲＰ：Material Requirements Planning System 資材所要計画。
生産計画指示は、全て中央の計画立案部門から全工程に同時に押し出される。「押し出し（プッシュ）方式」＝計画主導型の生産管理方式

平準化：関連する生産工程において、生産数量と種類の変化をできるだけ均等化して、問題発見の容易化、改善・生産の効率化に繋げる。対比として、ロット生産、まとめ生産がある。

かんばん：生産工程全般に使う情報。透明な樹脂製ケースに収納された紙情報が多い。内容は、品番、品名、収容数、前後の工程名、納入サイクルなどに加え、ＱＲコード等の電子かんばん対応もある。使用用途は、引き取り情報、運搬情報、生産指示情報やロット生産用の「信号かんばん」もある。

アンドン：「目で見る管理」の道具。生産ラインで作業遅れ、異常連絡、異常停止等を同僚、監督者に伝える。また、その状況を表示する。状況、内容により色を分けても良い。
例：通常運転中＝緑色、遅れ、呼び出し＝黄色、緊急停止＝赤色。

出来高管理表：時間ごとに計画と実績の差を把握して異常を表面化することにより関係者に異常を知らせ、問題点を共有する。これらの情報を基に改善を推進する。1時間ごとの目標個数を予め記入しておき、実績記入時にその達成度合いがわかりやすいようにして状況把握がやりやすいようにする。

後補充生産：「後工程引き取り、後補充生産」
後工程が前工程に、必要なモノを、必要な時に、必要な量だけ取りに行く。前工程は、後工程に引き取られた分だけ造る。早すぎ、造りすぎによるムダな在庫が、それぞれの工程に潜んでいる問題点を見つけ難くする。

平準化ポスト：後工程から、まとまって返却される「かんばん」を、あたかも前工程の生産ラインで外れたかのように平準化するための道具。
平準化ポストへの「かんばん」の仕分けは、月ごとの生産計画を使って簡便にやる「寺田ロジック」を使うことが多い。

小ロット化：造る単位、運搬する単位をできるだけ小さくすることによって前工程に対して「量の振れ幅」を小さくして平準化に寄与する。このためには、段取り時間の短縮が必要。平準化による問題発見と段取り時間の短縮により、全体の効率アップを狙う。

ちょろ引き：平準化ポストで割り振られた「かんばん」を用いて、ストアから完成品をこまめに引き取り、後工程に送るための荷揃えをすること。これにより、前工程に対して後工程の造るスピードを再現することができる。

定期不定量、定量不定期：後工程が引き取り、外れた「かんばん」を一定期間プールし、次の仕かけ時に予め決めた生産パターンに基づき生産する仕組み。量産品は、定期不定量＝決めた時間に外れた分だけ造る中小量品は、決めたロットサイズに達した時に、その分だけ造る。

在庫の分類：在庫量の根拠を要素別に分解することによって、それぞれの分野別に妥当な在庫量として、問題点が見つけやすいようにする。
①通常在庫、②振れ対応分、③直差・休日差分、④非常手持ち。なお、「安全

在庫」＝非常手持ち＋「安心分」と考えて、安心分をなくす。

「気づき塾」：私（加古）が過去の失敗体験を生々しく話して、聞いている人達に仮想体験してもらう。失敗談を聞いてもらった後に、1人ひとりから「気づき」を発表してもらう。たくさんの「気づき」を聞いてさらに思った「^{2}(気づき)＝気づきの二乗」を書き残してもらい、また、発表してもらう。これらのやり取りの中での仮想体験から得られた「自分ならこうする」を書き留めて持ち帰る。

【著者プロフィール】

加古 眞（かこ まこと）

1949年生まれ、愛知県出身。

1973年　山梨大学工学部精密工学科卒、日本電装㈱（現・デンソー）入社。

ラジエータ生産技術、冷暖房製造、海外製造拠点を担当。

DENSO MARSTON社長、DENSO Manufacturing（U.K.）社長、GAC㈱ 専務取締役、
ワシノ機器㈱ 社長、現・㈱UWホールディングス取締役。

現・（一社）日本バルブ工業会、人財育成委員会委員長。

DENSOサッカー部監督、（公財）愛知県サッカー協会・会長。

サッカー２級審判員、英国審判員（Grade-Ⅱ）、現・４級審判員。

現・（一社）日本サッカー審判協会・監事。

現・特定非営利活動法人「失敗学会」会員。

エンドレス改善《かいぜん》
〜TPSを中小企業《ちゅうしょうきぎょう》で実践《じっせん》〜

2023年9月22日　第1刷発行

著　者　　　加古 眞
発行人　　　久保田貴幸

発行元　　　株式会社 幻冬舎メディアコンサルティング
　　　　　　〒151-0051　東京都渋谷区千駄ヶ谷4-9-7
　　　　　　電話　03-5411-6440（編集）

発売元　　　株式会社 幻冬舎
　　　　　　〒151-0051　東京都渋谷区千駄ヶ谷4-9-7
　　　　　　電話　03-5411-6222（営業）

印刷・製本　中央精版印刷株式会社
装　丁　　　秋庭祐貴

検印廃止

Printed in Japan
ISBN 978-4-344-94610-1 C0034
幻冬舎メディアコンサルティングＨＰ
https://www.gentosha-mc.com/